Les troubadours

Simon Gaunt
July 1981
Oxford

Ouvrages de Henri-Irénée Marrou

Saint Augustin et la Fin de la culture antique
De Boccard, 4e éd., 1958

ΜΟΥΣΙΚΟΣ ΑΝΗΡ,
Étude sur les scènes de la vie intellectuelle
figurant sur les monuments funéraires romains
L'Erma di Bretschneider, 2e éd., 1964

L'Ambivalence du temps de l'histoire chez saint Augustin
Vrin, 1950

De la connaissance historique
Éd. du Seuil, coll. « Esprit », 1954
coll. « Points Histoire », 1975

A Diognète. Introduction, traduction et commentaire
Éd. du Cerf, 2e éd., 1965

Saint Augustin et l'Augustinisme
Éd. du Seuil, coll. « Maîtres spirituels »
7e éd., 1969

Clément d'Alexandrie. Le Pédagogue, livres I-III
Introduction et notes
Éd. du Cerf, 1960-1970

Nouvelle Histoire de l'Église, t. I, 2e partie
De la persécution de Dioclétien
à la mort de Grégoire le Grand
Éd. du Seuil, 1963

Théologie de l'histoire
Éd. du Seuil, 1968

Histoire de l'éducation dans l'Antiquité
Éd. du Seuil, coll. « UH », 7e éd., 1975

Décadence romaine ou Antiquité tardive? IIIe-VIe siècle
Éd. du Seuil, coll. « Points Histoire », 1977

SOUS LE NOM DE HENRI DAVENSON

Fondements d'une culture chrétienne
Bloud et Gay, 1934

Traité de la musique selon l'esprit de saint Augustin
Éd. du Seuil, 1942

Le Livre des chansons ou Introduction à la connaissance
de la chanson populaire française
Éd. du Seuil, 1944

Henri-Irénée Marrou

Les troubadours

Éditions du Seuil

ISBN 2.02.000650.2

Aveu de paternité

La première édition de ce livre a paru sous le nom de Henri Davenson. Ayant à en rendre compte, une grave revue philologique s'étonnait que cet auteur au nom britannique manipulât assez bien notre langue pour se montrer capable de traduire en bon français les vers de ces anciens poètes de langue d'oc. Ce malencontreux pseudonyme a égaré bien d'autres lecteurs, m'ayant valu plus d'une fois l'honneur immérité d'être pris pour un Juif; il est donc peut-être utile de préciser aujourd'hui que je l'avais emprunté à un village des Hautes-Alpes – son nom s'écrit aujourd'hui Avançon – auquel me rattachent des souvenirs de famille.

Je l'avais choisi dans ma jeunesse, d'abord pour esquiver les règlements militaires, ensuite pour assurer la liberté de ma plume à l'égard de la police (j'habitais alors dans l'Italie de Mussolini) ; il m'avait paru pratique de le conserver pour rendre plus homogène ma bibliographie, signant Marrou ce que je publiais comme historien, Davenson ce qui relevait de la critique musicale et, si j'ose dire, de la musicologie. Certes, il a toujours été facile à un connaisseur de reconnaître ce que le Traité de la musique selon l'esprit de saint Augustin (1942) *devait à la jeune compétence acquise par l'auteur de* Saint Augustin et la fin de la culture antique (1937), *mais il me paraissait honnête de ne pas invoquer l'autorité que pouvait me valoir ce travail d'ordre strictement scientifique pour recommander au lecteur innocent ce qui était de fait un libre essai d'esthétique musicale.*

Je ne voudrais pas cependant que ces Troubadours *apparaissent en quelque sorte disqualifiés par le nom dont je les avais signés ; aussi bien, puis-je invoquer en leur faveur le témoignage de médiévistes d'une autorité indiscutable, comme mon collègue Pierre Le Gentil qui a bien voulu parler à leur propos d'un « excellent petit livre*[1] ». *Ce n'est qu'un petit livre en effet que je me suis résigné à écrire lorsque l'âge venu et le poids de tant d'entreprises à réaliser m'eurent persuadé que je n'aurais jamais le loisir de composer le grand œuvre que je rêvais depuis tant d'années de leur consacrer – depuis mes années de lycée à Marseille où, élève de René Lavaud et du bon Dr Fallen, alors* Capoulié *du Felibrige, qui venait d'Aubagne nous donner après la classe des leçons de provençal, j'essayais de me faire une culture occitane en combinant l'étude des troubadours, de Mistral et d'Aubanel, à celle des* Chansons populaires de la Provence *du vieux recueil de Damase Arbaud. Je n'avais pas cessé depuis d'accumuler à leur sujet lectures et réflexions ; les plus anciens lecteurs d'*Esprit *se souviendront peut-être de l'amicale mais violente polémique qui m'opposa à Denis de Rougemont, lors de la parution de son brillant essai* l'Amour et l'Occident *(aussi bien en reste-t-il ici quelque chose) : ma réaction était celle, toute viscérale, d'un compatriote de la comtesse de Die en face d'une interprétation qui me paraissait trop « Europe centrale », trop influencée par les douteux sortilèges du* Tristan *de Wagner.*

Je sais combien, dans les milieux de la « science officielle » (bien sûr, j'en suis !), apparaîtra toujours suspect le spécialiste qui s'en va baguenauder dans un autre secteur de l'érudition que celui qui, professionnellement, lui est confié ; mais pourquoi faudrait-il privilégier l'étroitesse d'esprit, la routine (« la chèvre broute où elle est attachée » – triste dicton qui s'entend trop souvent répéter parmi les érudits) ? J'avoue avoir écrit ces quelques pages avec plaisir et comme par jeu, mais faut-il pour cela s'interdire de les prendre au sérieux ?

Henri-Irénée Marrou

1. Dans *Romania* 84 (1963), p. 3, n. 3. Plus encore qu'à cette formule bienveillante, je suis sensible au fait que P. Le Gentil m'a fait l'honneur de prendre en considération, quitte à la discuter, telle de mes hypothèses, dans son grand mémoire : « La strophe zadjalesque, les khardjas et le problème des origines du lyrisme roman », *Ibid.*, p. 1-27, 209-250.

« L'amour, au sens romantique du mot n'a pas toujours existé : c'est une invention du XIIe siècle », rappelait récemment un journaliste américain; il continuait : « Les belles dames du Moyen Age passaient la moitié de leur temps à courir les lices, une fois le tournoi fini, un seau d'eau chaude à la main pour panser les blessures des chevaliers mis à mal. Heureusement pour elles, les troubadours vinrent introduire un peu de *glamour* dans ces relations de chevalier à dame et les élevèrent au niveau d'un culte à demi mystique, les troubadours, ces poètes-ménestrels, bohèmes errants du second Moyen Age » (*hobohemian* : à ce mot forgé suivant une technique renouvelée d'Homère, vous aurez reconnu le style inimitable des chroniqueurs de *Time*).

Au rappel d'un fait historique incontestable se mêle ici quelque confusion; il serait temps de nous débarrasser enfin de ce poncif : le troubadour errant, la guitare au côté et la toque emplumée (la plume, abondante et d'autruche, est, avec l'écharpe blanche à franges d'or, un accessoire obligé), qui égaie les longs loisirs du triste château gothique par ses tendres romances,

De vers naïfs peignant naïf amour !

Image conventionnelle et fade qui, avant de finir en motif de pendule sur les cheminées de nos grands-mères, a fait une longue carrière littéraire : le « genre troubadour » a été l'une des composantes caractéristiques de ce préromantisme du XVIIIe siècle, mince affluent qui, à travers les sables déserts de l'Émigration et de l'Empire, est venu rejoindre le courant autrement puissant du vrai romantisme. Ce fut là un sujet de recherches pour les élèves de Gustave Lanson : il s'agissait d'écrivains et d'artistes oubliés, tout était donc à redécouvrir – justement oubliés : ce n'étaient que des médiocres, on ne risquait pas de s'y heurter, par mégarde, au génie! Nous pouvons sans remords laisser dormir sur les rayons de nos vieilles bibliothèques ce comte de Tressan qui fut l'initiateur du « genre » en rajeunissant au goût du jour (paillardises voltairiennes et pleurnicheries à la Rousseau) nos vieilles légendes, le roi Artus, Tristan et Yseult, Ogier le Danois, la belle Maguelone; voici Roland :

De son hôte amicalement
Il partageait la fricassée;
Il ne faisait point l'insolent,
Ni sa fille la mijaurée.

On peut négliger sans dommage pour la culture ses successeurs, Marchangy, Creuzé de Lesser, tous ces rimeurs et pasticheurs de l'*Almanach des Muses*, ce « Moyen Age de carton et de terre cuite, qui n'a de Moyen Age que le nom », comme le disait si bien dès 1834 Théophile Gautier, dans sa préface à *Mademoiselle de Maupin*.

Jongleurs et troubadours

On évitera soigneusement, pour commencer, d'employer les mots au mépris de leur acception légitime : il faut apprendre à distinguer le troubadour du jongleur. Au sens strict – car la pratique admettait bien des confusions de l'un à l'autre – le premier s'opposait au second comme l'auteur à l'interprète : le troubadour étant l'auteur, le compositeur, le jongleur, lui, exécute ce que l'autre a « trouvé ». C'est au jongleur – *joglar, joglador* – que s'appliquerait le moins mal l'image stéréotypée d'un artiste itinérant et souvent besogneux; quant au ménestrel (dans cet ordre d'idées, le mot appartient en propre à la France du Nord), c'est un jongleur pourvu d'un office de caractère stable, attaché au service, *ministerium*, d'une cour ou d'un seigneur. Le talent d'artiste lyrique n'était qu'une des fonctions, d'ordre varié, qu'exerçaient jongleurs (et jongleresses) : héritiers directs des mimes latins, c'étaient des histrions à tout faire, musiciens sans doute mais aussi bateleurs, saltimbanques, faiseurs de tours, de force ou d'adresse, montreurs de marionnettes ou d'animaux savants (putains à l'occasion). Comme son prototype romain, c'était là un métier décrié, honni des gens de bien, et d'abord des gens d'Église – le dernier des métiers, si l'on en juge par tel manuel du confesseur qui, énumérant les péchés propres à chaque condition, suit les degrés d'une hiérarchie descendante, à partir des empereurs et autres grands princes : les barons, les chevaliers, et ainsi de suite : plus bas que les jongleurs, il ne trouve à placer que les femmes, pessimisme de clerc [1].

Sans doute les frontières entre les deux notions n'étaient pas infranchissables : depuis Shakespeare et Cie, nous avons connu beaucoup d'acteurs qui ont cumulé leur rôle et celui d'auteur dramatique; pareillement on rencontre un certain nombre de jongleurs qui, bien doués en matière de création poétique, ont compté parmi les troubadours – et quelquefois parmi les plus célèbres, comme les deux Gascons, Cercamon (c'est un pseudonyme, transparent : « Cherche-au-monde ») et son disciple Marcabrun, un enfant trouvé qui s'appelait d'abord Painperdu... Inversement, il arrivait que les troubadours se soient parfois risqués à chanter eux-mêmes leurs propres vers, et cela, à en croire la satire, sans toujours y réussir trop bien. Pierre d'Auvergne s'est ainsi moqué de douze d'entre eux, avant de se mettre en scène, lui treizième, dans sa pièce *Chantarai d'aquestz trobadors* : l'un a la voix rauque et glapit misérablement, l'autre manque de prestance, et c'est Guiraud de Bourneil (aujourd'hui Bourneix, près d'Excideuil), le poète par excellence, celui qui fut dit *Maestre dels trobadors* :

... Girautz de Bornelh
Que semble'odre sec al solelh
Ab son cantar magr'e dolen...

... qui semble outre sèche au soleil
avec son chant maigre et dolent [2]

(On croit voir le portrait de Ronsard : lui non plus n'était pas beau!)

Mais en dépit de toutes ces confusions de personnes, les deux fonctions étaient bien nettement distinguées : souvent, dans l'envoi qui termine leurs chansons, les troubadours mentionnent le jongleur qui sera pour eux, à la fois, interprète, messager et, dirions-nous, *press-agent*; certains avaient leur chanteur attitré, celui de Bertrand de Born s'appelait Papiol (il l'a bien nommé dix fois, quoiqu'il en ait eu d'autres, Guillaume ou Mailoli), celui d'Arnaud de Mareuil, Pistoleta, « Petite-lettre », « Billet doux »; voici ce qu'on raconte de lui :

« Pistoleta fut chanteur de Sire Arnaud de Mareuil et fut de Provence. Et puis devint troubadour et fit des chansons aux mélodies avenantes, et fut en bonne grâce auprès des gens de bien... Puis il prit femme à Marseille et se fit marchand, et devint riche et cessa de fréquenter les cours », *e venc rics e laisset d'anar per cortz* [3].

Pierre Cardenal, lui, « allait *per cortz de reis e de gentils barons*, emmenant avec lui son jongleur qui chantait ses satires, *sirventés* [4] »; Guiraud de Bourneil, lui, en aurait mené deux [5] – si du moins nous en croyons leurs biographies.

Il faut dire ici un mot de ces textes, tardifs (du XIIIe siècle plus ou moins avancé, quelquefois même du XIVe), suspects, et de l'usage qu'il convient néanmoins d'en faire. Avant d'exécuter une chanson, les jongleurs prirent l'habitude de la présenter à leur public, d'en donner « raison » : ces *razos* reposent rarement, autant que puisse le vérifier l'érudition moderne, sur une information historique sérieuse : elles ont été, le plus souvent, développées à partir des données mêmes du poème dont il s'agissait d'expliquer la genèse, le *Sitz im Leben*, et cela avec une imagination librement débridée. Il faut en dire autant des courtes biographies qui servaient également aux jongleurs pour étoffer leur présentation : pour quelques minces renseignements de type événementiel que nous pouvons corroborer à coup de pièces d'archives, combien de fantaisies, surtout en ce qui concerne les amours du poète! Mais si leur valeur historique est ainsi le plus souvent douteuse, ces textes constituent des documents très révélateurs du goût d'un certain public (non celui des contemporains mêmes, mais d'une génération ou du siècle suivant) : ces *Vidas* sont déjà des vies romancées et, sous leur forme ramassée, se présentent comme le canevas de charmantes nouvelles; de fait, plusieurs ont été reprises, puis développées, par les nouvellistes italiens et sont entrées par là dans le répertoire romanesque de la littérature moderne. Il ne faudrait pas, sous prétexte de rechercher la vérité historique, nous priver de cet autre aspect, en lui-même si intéressant, de l'héritage littéraire des troubadours. En marge de leur œuvre et de leur vie réelles, c'est déjà une *aura* légendaire qui s'est développée, mais la légende, une fois reconnue comme telle, conserve ses valeurs propres de charme et de poésie.

Parlons donc des troubadours maintenant, entendus au sens propre, et tels qu'ils ont été : nous désignons par ce mot les poètes et musiciens, originaires presque tous de la moitié sud de la France, qui, utilisant un dialecte littéraire de la langue d'Oc, ont été les initiateurs de la poésie lyrique – entendez : effectivement chantée – en langue vulgaire dans l'Europe du Moyen Age (leur rayonnement s'est étendu, par ondes successives, d'abord de la Catalogne à l'Italie du Nord, puis du Portugal à la Hongrie, en passant par la France des trouvères et l'Allemagne des *Minnesänger*), et, ce qui importe plus encore, ont mis leur art au service d'une nouvelle conception de l'amour qui a profondément modelé la structure de la psychè occidentale.

La docte *Bibliographie der Troubadours* si utilement compilée par deux professeurs de Koenigsberg, qui ne s'appelait pas encore Kaliningrad, en dénombre 460, mais la plupart ne figurent que par une seule chanson, voire un seul couplet, dans les chansonniers ou anthologies qui nous ont conservé cette littérature. Nous en possédons quelque trente ou quarante : ce sont de beaux manuscrits de la fin du XIIIe, du XIVe surtout, quelquefois du XVe siècle, les meilleurs avec les mélodies notées et des lettrines (nous en reproduisons quelques-unes ici) finement enluminées. Dans un syllogisme de son *De vulgari eloquio*, Dante témoigne, avec le pédantisme un peu appuyé de sa jeunesse, de ce qu'était le prestige de ces chansonniers : « Les biens les plus précieux sont conservés avec le plus de soin; or les chansons sont conservées avec le plus grand soin *ut constat visitantibus libros* (comme il appert à tout visiteur pénétrant dans une bibliothèque – glosait, avec un peu de fantaisie, ce charmant esprit qu'était Ch. Alb. Cingria) : donc les chansons sont des choses très précieuses, *ergo cantiones nobilissimæ sunt!* »

Il est exceptionnel qu'un auteur, mais c'est l'illustre Guiraud de Bourneil, y soit représenté par 80 pièces (seul le dépasse le cas de Guiraud Riquier de Narbonne, mais c'est parce qu'il est « le dernier de troubadours », composant dans les années 1254-1292); le cas des meilleurs oscille dans les 40-45 numéros : ainsi Marcabrun, Bernard de Ventadour, Bertrand de Born, Raimbaud d'Orange; les plus anciens, comme il est naturel, n'étant plus attestés que par quelques épaves : 11 pour Guillaume de Poitiers, 6 pour Goeffroi Rudel, 8 ou 9 pour Cercamon.

L'activité des troubadours s'est étendue de 1100 environ à la fin du XIIIe siècle, mais ses débuts ne sont plus attestés pour nous que par le seul Guillaume, IXe duc d'Aquitaine, VIIe comte de Poitiers (né en 1071, mort en 1127) et tout l'essentiel est acquis au cours des trois générations qui suivirent la sienne, le XIIIe siècle étant déjà un temps de décadence. On attribue trop facilement celle-ci à la croisade des Albigeois (1208/9-1229) et à ses conséquences. Il ne faudrait pas majorer celles-ci dont les ravages n'ont touché que le Languedoc proprement dit : Limousin, Périgord et Guyenne en sont restés indemnes, relevant encore presque entièrement des rois Plantagenet d'Angleterre; de même, au-delà du Rhône, Provence et Dauphiné, encore terres d'Empire (Avignon seul excepté, qui avait le malheur d'appartenir au comte de Toulouse). Il ne faut jamais oublier que le Pays d'Oc n'a jamais constitué une unité politique : étendu d'Est en Ouest, des Alpes à l'Atlantique, il s'est trouvé partagé au Moyen Age entre des formations parallèles, étendues, elles, du Nord au Sud : empire angevin, domaine capétien, royaume d'Arles. Comme dans toutes les vraies décadences, le ver est venu du dedans : il y a eu un épuisement rapide de cette veine originale, et nous aurons à expliquer pourquoi. Si l'art des troubadours apparaît comme le printemps précoce de l'Occident moderne, ce fut un printemps fragile et menacé (comme ces fleurs de l'amandier, au doux parfum de miel, qui s'épanouissent en Provence au tout premier soleil, bientôt menacées par le gel et les bourrasques), un printemps qui n'a pas débouché sur la plénitude féconde de l'été : la bourgeoisie toulousaine s'efforça en vain de prendre le relais de la veine chevaleresque épuisée, par la fondation du Consistoire du Gai Savoir (1323) et l'institution des Jeux Floraux (1324), unissant la plus touchante bonne volonté à la plus totale impuissance. Dante l'a bien dit, dans ce même traité : le mérite des troubadours est d'avoir été des novateurs.

« C'est dans la langue d'Oc que les usagers de la langue vivante se sont essayés les premiers à la poésie », *vulgares eloquentes in ea primitus poetati sunt*... Mais ces *primadiers* restent toujours des primitifs, un peu en deçà de la maturité puissante qui définit le classicisme. Il faudra s'en souvenir pour ne pas surestimer leur héritage : nous ne devons pas écraser sous le poids de trop savants ou trop exigeants commentaires cette œuvre délicate, mais qui reste toujours un peu mince, un peu frêle – si étonnante soit-elle, à sa date et par son originalité. Il faut bien le reconnaître, ce que les troubadours ont fait de mieux, leur chef-d'œuvre, c'est d'avoir permis à Dante de les surclasser sur leur propre terrain en composant la *Vita Nuova*.

Nos troubadours ont appartenu aux niveaux les plus divers de la société féodale de leur temps : si, comme on l'a vu, quelques-uns avaient débuté comme jongleurs, d'autres sont venus à la poésie en partant de beaucoup plus haut. Leur *Who's who?* a catalogué un empereur (nous l'avons à vrai dire, depuis, éliminé comme douteux : il s'agissait de Frédéric Barberousse, pour un couplet de style comptine : « Plus me plaît chevalier français, et la dame catalane, et l'honneur génois, la cour de Castille, le chanter provençal, etc. » Mais il y a chance que ce soit l'œuvre d'un faussaire, du XVIe siècle, ce curieux personnage que fut Jean de Nostredame, le frère puîné du fameux astrologue), 5 rois, autant de marquis, 10 comtes, 5 vicomtes... Mais peu nombreux sont les créateurs de premier plan parmi ces grands princes et autres *potestatz* séculiers, le cas mis à part de cet extraordinaire personnage que fut le premier en date des troubadours, ce comte de Poitiers, déjà nommé, l'un des plus puissants seigneurs du royaume de France, dont les domaines étaient plus étendus que ceux du roi lui-même, en ce temps-là. On peut mentionner aussi Raimbaud, comte d'Orange, le premier troubadour issu de la Provence proprement dite, un grand seigneur lui aussi, encore qu'assez désargenté, qui était si fier de son *trobar*, et trouvait piquant de s'entendre qualifier de « jongleur ». Mais la plupart des troubadours ont été de moindres sires, comme Geoffroi

Rudel, encore qu'il portât le titre de prince – de Blaye; si Bertrand de Born put tenir le puissant château de Hautefort, c'est après en avoir expulsé son propre frère Constantin qui en avait hérité, au même titre que lui, la coseigneurie. Mais voici un autre cas, pittoresque et plus pacifique, d'indivision : celui des quatre troubadours d'Ussel :

« Gui d'Ussel fut du Limousin, gentil châtelain, et lui et ses frères et son cousin Élie étaient seigneurs d'Ussel, qui est un riche château. Et ses deux frères avaient nom l'un Ebles, l'autre Pierre et le cousin avait nom Élie (le texte occitan dit : *N'Ebles*, *N'Elias*, *En Gui : En*, – *N'* devant, ou après, voyelle s'emploie devant le prénom, comme l'anglais *Sir*, pour les nobles; de même *Na* au féminin, pour *Dame*). Et tous quatre étaient troubadours » : trois étaient poètes, chacun dans un genre, chansons pour Gui, débats pour Élie, satires pour Ebles; le quatrième, Pierre, était le musicien de l'équipe : *e N'Peire decantava tot quand li trei trobaven* [6].

D'autres n'étaient que de simples chevaliers, ainsi Rigaud de Barbezieux en Saintonge, *paubres vavassors* : notre érudition croit pouvoir l'identifier au fils cadet d'une famille, à la fortune pour lors déclinante, des viguiers des seigneurs de Barbezieux (mentionné dans des actes de 1140 à 1157); quelques-uns si pauvres qu'ils durent déchoir et se faire jongleurs; on le rapporte de plusieurs et notamment d'Arnaud Daniel, cet homme étonnant (une sorte de Mallarmé mâtiné d'un peu de Raymond Queneau) qui, après Dante et Pétrarque, devait inspirer un jour Aragon : on se souvient de son brillant essai *la Leçon de Ribérac*.

La noblesse, haute et basse, n'était pas seule à fournir des troubadours; certains venaient de la bourgeoisie : nous rencontrerons bientôt Fouquet de Marseille, un riche marchand; Pierre Vidal était le fils d'un pellissier de Toulouse, Arnaud de Mareuil fut clerc, d'aucuns disent notaire, de pauvre famille. D'autres étaient gens d'Église (nous parlons de leur origine, non de ceux, si nombreux, qui finirent comme tels) : au tableau figure un (futur) pape, Gui Folqueis, évêque du Puy et archevêque de Narbonne avant de coiffer la tiare sous le nom de Clément IV (1265-1268) : il n'y figure que pour une prière, *les VII Joies de la Vierge* qu'il tint plus tard à indulgencier – pour être pape on n'en est pas moins auteur! Deux évêques, plusieurs chanoines; c'était le cas de Gui d'Ussel :

« *En* Gui était chanoine de Brioude et de Montferrand, ce qui ne l'empêcha pas d'être longtemps, *longa saison*, amoureux de *Na* Malgarita d'Aubuisson et de la comtesse de Montferrand, dont il fit maintes bonnes chansons. Mais le légat du pape lui fit jurer qu'il ne ferait plus de chansons. *E per lui laisset lo trobar e lo cantar...* [7] »

D'autres furent moins dociles et donnèrent le pas à la poésie sur l'office de chœur, ainsi ces Auvergnats, Pierre Roger, du chapitre de Clermont, ou le grand satiriste Pierre Cardenal, du Puy-Notre-Dame :

« Il était de bonne noblesse, fils de chevalier et de dame. Et quand il était petit, son père le mit chanoine en la chanoinerie majeure du Puy; et il apprit les lettres, et sut bien lire et chanter. Mais quand il fut venu à l'âge d'homme, il s'éprit de la vanité du monde, car il se sentit gai et beau et jeune... [8] »

Et laissant là le canonicat, il s'en fut fréquenter les cours. D'autres à la conscience, ou aux supérieurs, moins exigeants surent concilier les deux états, comme Daude de Prades, chanoine de Maguelone, près de Montpellier, « qui peut compter (disait J. Anglade) au nombre des ancêtres les plus immédiats de Rabelais », ou ce bon Moine de Montaudon, profès de l'abbaye d'Aurillac, qui administra sagement le prieuré à lui confié, tout en rimant couplets et *sirventés* sur des sujets d'actualité : « et chevaliers et barons l'allèrent chercher en sa moinerie et lui firent grand honneur et lui donnèrent tout ce qui lui plut ou leur demanda, et il rapportait le tout à Montaudon, à son prieuré » – le tout à la plus grande joie, et avec la bénédiction de son Père abbé, et sans jamais se défroquer, *portant tota via los draps mongils*, « portant où qu'il allât l'habit monastique [9] ».

Mais d'où qu'ils vinssent, les troubadours confluaient tous dans un même milieu social et professionnel : le milieu des cours seigneuriales, dont il nous faudra essayer de définir le style de vie, l'idéal d'élégance et de mondanité; dans ce milieu, aux intérêts complexes, ils représentaient l'apport de l'art. C'étaient des professionnels : ils ont été les premiers à avoir réalisé le type, en somme déjà tout moderne, de l'artiste, du poète, de l'intellectuel, profane. Prenons comme exemple la manière dont sa *Vida* nous présente Guiraud de Bourneil :

Girautz de Bornelh si fo de Limozi, « du pays d'Excideuil, un riche château du vicomte de Limoges. De basse condition, mais sage homme de lettres et de sens naturel. Et fut meilleur troubadour qu'aucun de ceux qui avaient été avant ou furent après lui, et pour cela fut appelé Maître des troubadours et l'est encore pour tous ceux qui s'entendent en dits subtils et bien posés d'amour et de sens... Et sa vie était telle que tout l'hiver il était en école et apprenait lettres (son éditeur allemand estime que l'auteur de la notice a tiré de deux passages ambigus de Guiraud qu'il était maître d'école – mais nous pouvons prendre le mot de son atelier de poète, où il préparait les chansons de la saison à venir), et tout l'été il allait par les cours et menait avec lui deux chanteurs qui chantaient ses chansons. Il ne voulut jamais prendre femme, et tout ce qu'il gagnait il le donnait à ses pauvres parents et à l'église de la ville où il naquit, laquelle église avait nom, et a encore, Saint-Gervais [10] ».

J'ai voulu tout citer, quoique ce ton édifiant soit assez rare dans nos textes. Ce qui dans tous apparaît de façon éclatante, c'est que le prestige de leur art plaçait nos troubadours, si humble que pût être leur origine, sur le même pied que les grands seigneurs et les nobles dames qui les accueillaient. Plusieurs connurent et le succès et la fortune; ainsi est-il raconté de Raimbaud de Vaqueiras :

« Il fut fils d'un pauvre chevalier de Provence, du château de Vaqueiras, qui avait nom Peirours et qui était tenu pour fou. *En* Raimbaud se fit jongleur et resta longue saison avec le prince d'Orange, Guillaume des Baux. Il savait bien chanter et faire couplets et *sirventés*, et le prince d'Orange lui fit grand bien et grand honneur; il le lança et le fit connaître et apprécier des gens de bien. Puis il s'en vint en Montferrat, chez *Messer* le marquis Boniface, et resta en sa cour longtemps, progressant en esprit, armes et trouver... Et quand le marquis passa en Romanie, il le mena avec lui et le fit chevalier, et lui donna grande terre et grande rente dans le royaume de Salonique. Et là il mourut [11]. »

Le cas majeur est celui de Bernard de Ventadour, à notre goût le plus grand, le plus émouvant de tous ces poètes d'amour. Telle que sa figure apparaît fixée dans sa légende (il faut, j'y insiste, renoncer à démêler ce qui en elle repose sur des faits assurés et ce qui est stylisation symbolique plus ou moins tardive), il serait né dans ce château de Ventadour, en Limousin, qui, pendant plusieurs générations, fut comme le centre de toute courtoisie, art, faste et beauté; mais son origine était très humble : *hom fo de paubra generacion*; on nous dit que son père était archer et sa mère fournière « qui chauffait le four à cuire le pain du château ». Mais dans un milieu aussi favorable, le handicap, si lourd fût-il, n'était pas impossible à surmonter; on sut découvrir, encourager, développer ses dons :

« Et il devint bel homme et adroit, et sut bien chanter et trouver, et devint courtois et bien enseigné. Et le vicomte, son seigneur, de Ventadour, s'intéressa beaucoup à lui, à sa musique, à ses vers, et lui fit grand honneur... »

Devenu un grand poète, Bernard quitta le château. La légende, romanesque comme toujours, veut que ce soit pour avoir trop intéressé, aussi, la vicomtesse « qui était femme jeune et gentille et gaie et se plut à *En* Bernard (le fils de la *forniera* reçoit du *Sire...*), et s'enamoura de lui, et lui d'elle, tant qu'il fit ses chansons et ses vers de la Dame, et de l'amour qu'il avait pour elle, et de sa valeur, *e de la valor de lieis* ». Mais l'ambition littéraire suffit à expliquer ce départ : comme un jeune provincial monte aujourd'hui à Paris, nous voyons Bernard s'en aller fréquenter la cour, si brillante, d'Éléonore d'Aquitaine, la petite-fille et héritière du premier troubadour, Guillaume de Poitiers; on se souvient qu'à peine son premier mariage rompu avec le roi capétien Louis VII elle se remariait avec le comte d'Anjou

Henri Plantagenet qui devenait bientôt le roi d'Angleterre Henri II. Bernard de Ventadour accompagna le couple royal pour les fêtes du couronnement,

> *Outra la terra normanda,*
> *Part la fera mar prionda.*
>
> Outre la terre normande,
> passée la sauvage mer profonde [12]

Mais il ne s'attarda pas en Grande-Bretagne au service du « roi anglais et duc normand » – la reine non plus d'ailleurs, qui, en face de son mari et plus tard de ses fils, se considéra toujours avant tout comme la duchesse d'Aquitaine, *Ducissa Aquitanie*. Nous le trouvons bientôt à nouveau dans le Midi, à la cour du comte Raymond V de Toulouse, dans celle de Narbonne où régnait la vicomtesse Ermengarde, une des grandes belles dames de ce temps, partout reçu avec honneur.

On le voit ces musiciens, ces poètes sont déjà comme leurs confrères d'aujourd'hui, comme nous, des « intellectuels ». Trop souvent, lorsqu'on évoque les intellectuels du Moyen Age, on ne pense guère qu'aux clercs et parmi eux avant tout aux universitaires, philosophes ou théologiens, et on ne dit rien des troubadours : pourtant, il y avait plus d'une manière d'être un intellectuel au XIIe siècle!

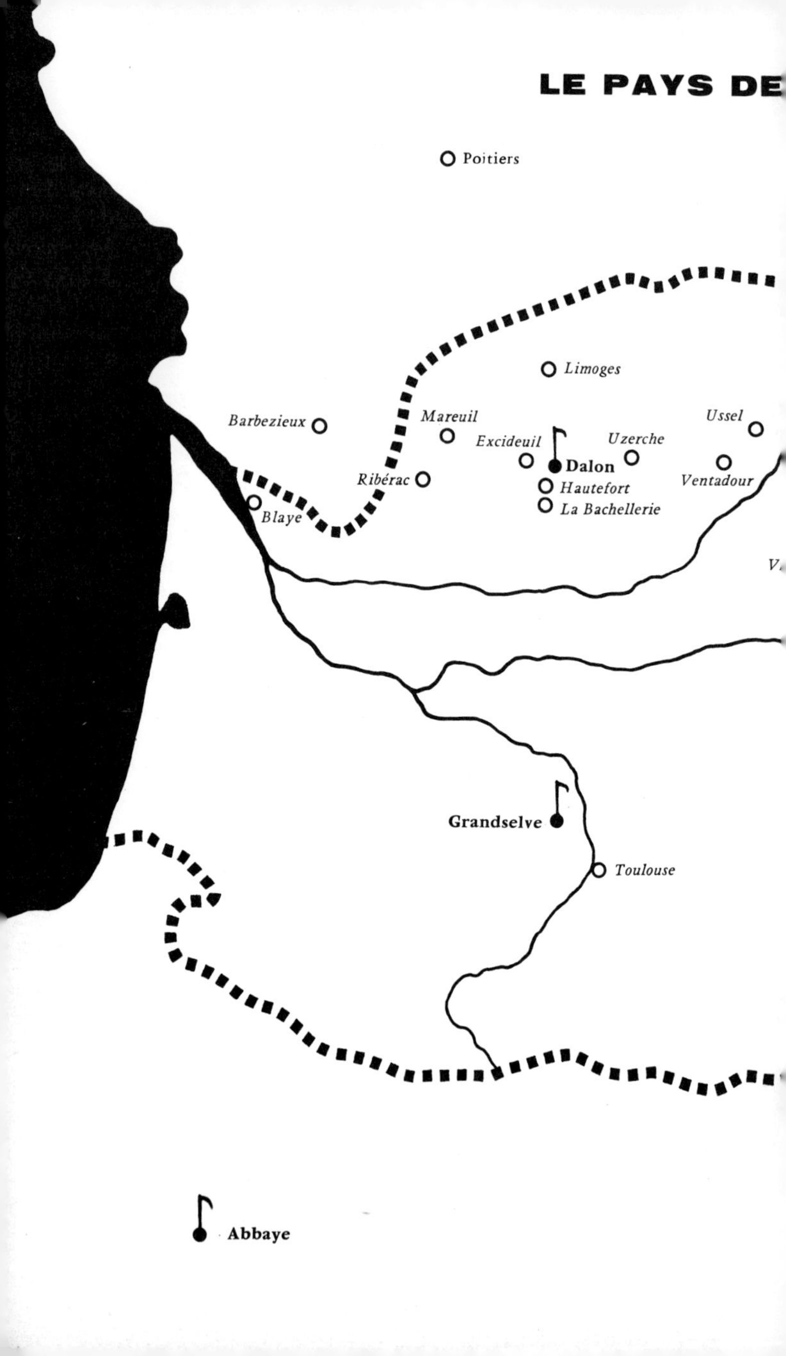

LE PAYS DE

Poitiers

Limoges

Barbezieux

Mareuil

Ussel

Excideuil

Uzerche

Dalon

Ribérac

Ventadour

Hautefort

Blaye

La Bachellerie

V.

Grandselve

Toulouse

Abbaye

ROUBADOURS

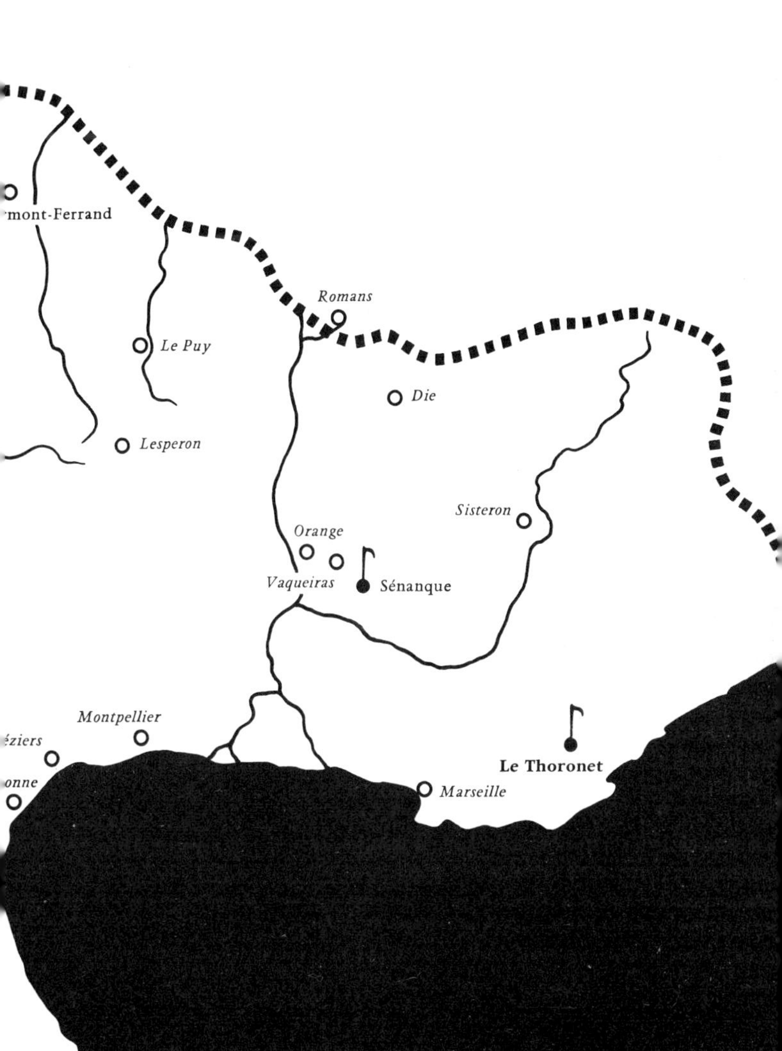

rmont-Ferrand
Romans
Le Puy
Die
Lesperon
Sisteron
Orange
Vaqueiras
Sénanque
Montpellier
éziers
Le Thoronet
onne
Marseille

amen

in secula seculorum Quis sequitur Dum fons ar ma

Sun digno Hunde Frintra ut Cuntrarumes domum

Seculorum amen Quando natus Unde terra est Iux

uobis Beatus uir Quo amplius Beatus uir Seculo

rum amen Haec est Ecce concipies Seculorum

TON. IIII.

amen Cum egro tus & iob Sapiencia TRITUS.

OFAGIS Gloria pa

tri & filio & spiritui

sancto Sicut erat in

principio & nunc & semp

La renaissance du XIIe siècle

Voilà qui nous amène à formuler une observation qui a sa portée : le XIIe siècle a été l'un des grands siècles de la civilisation occidentale, une des étapes décisives de sa genèse. Il fallait être, je ne dis pas ignorant, mais aveuglé comme les hommes de l'*Aufklärung* pour parler avec assurance des ténèbres du Moyen Age : dans la mesure où la philosophie du XVIIIe siècle se définissait comme un refus du christianisme, elle excluait de sa perception les longueurs d'onde caractéristiques du phénomène « chrétienté ». En fait, plus nous l'étudions et mieux nous le comprenons, plus ce siècle nous révèle de richesses. On peut même se risquer à formuler ici ce qu'on pourrait appeler une loi de l'histoire : les grandes époques créatrices sont des époques complexes, où surgissent côte à côte les initiatives les plus diverses, quelquefois contradictoires : le progrès de la connaissance historique fait toujours éclater les schémas trop simples proposés par les philosophies de l'histoire.

Il y a intérêt à déployer un instant sous les yeux l'éventail de ces richesses, ne serait-ce que pour disqualifier ces exégèses fallacieuses qui, oubliant l'une des règles les plus fondamentales de la méthode, celle des dénombrements entiers, sélectionne arbitrairement deux phénomènes contemporains et entreprend de les expliquer l'un par l'autre, les troubadours et les cathares, par exemple, l'amour courtois et la mystique cistercienne, ou la théologie trinitaire... Avant de formuler une hypothèse particulière, il faut avoir pris une vision synoptique des ensembles. Même à s'en tenir au seul XIIe siècle, le Moyen Age se révèle très complexe : autant que le mépris de type voltairien, on doit éviter une certaine idéalisation apologétique, de style réactionnaire : « Ces siècles de foi ! » Mais le chrétien ne doit pas vivre la tête tournée en arrière, comme si le problème était pour lui de retrouver, de restaurer (on ne peut pas dire « conserver », elle est en ruine) une cité chrétienne de type médiéval.

Jongleur et musicien

Faut-il rappeler que le christianisme authentique est tendu en avant, dans l'espérance d'un accomplissement eschatologique? Si belles qu'aient été ses réalisations, la chrétienté médiévale ne doit pas être confondue avec la Cité de Dieu comme elle l'a été quelquefois, et au XIIe siècle même (Otto de Freising); à preuve : elle est tombée, comme tombent l'une après l'autre toutes les cités terrestres...

Mais procédons à l'inventaire : d'abord, il n'y a pas un Moyen Age, mais trois : l'occidental latin, le byzantin – hellénique, slave, oriental –, le musulman et donc l'arabe qui enserre les deux autres dans les branches de son croissant (on prendra l'image pour sa valeur géométrique : comme emblème héraldique, le croissant n'appartient encore qu'aux Turcs Seldjoukides, maîtres déjà à cette date de toute l'Asie mineure). Il y en a même un quatrième, le juif, qui ignorant leurs frontières, pénètre intimement les trois autres et qui, si mal supporté qu'il soit, transporte avec lui bien des influences. Certes le judaïsme, retranché derrière la haie de la Torah, culturellement isolé par l'usage de sa langue sacrée, a sa vie propre et très largement indépendante de l'histoire de la chrétienté médiévale. Il n'en est que plus remarquable de découvrir qu'il a lui aussi participé à cette extraordinaire explosion de vitalité créatrice dont la Terre d'Oc nous donne le spectacle au cours de ce grand XIIe siècle. Les origines de la Kabbale – cette tradition ésotérique qui unit un mysticisme authentique aux spéculations les plus déconcertantes – ont été longtemps enveloppées de mystère et encombrées de légendes; les recherches du grand historien israélien Gershom Scholem viennent seulement d'en éclairer l'histoire : l'étonnant est que ces origines se placent précisément au XIIe siècle et en Languedoc. C'est là, et alors, qu'apparaît le livre *Bahir*, le monument le plus ancien de la Kabbale – bien antérieur au *Zohar*, ce faux de la fin du XIIIe siècle –, et les premiers Kabbalistes connus avec certitude s'appellent Abraham ben Isaac de Narbonne (mort en 1179), son collègue et contemporain Jacob le Naziréen de Lunel, son gendre le fameux Rabed (mort en 1198), et son petit-fils Isaac l'aveugle, de Vauvert (près de Nîmes). C'est de ce milieu savant d'ascètes et de mystiques qu'est issu ce grand mouvement de pensée qui rayonnera sur l'Espagne d'abord puis sur le judaïsme tout entier. Mais limitons-nous à l'Occident chrétien; j'aperçois au moins une douzaine de thèmes qu'il faut distinguer et analyser séparément :

1. Le premier fait, macroscopique, est évidemment que la Terre d'Oc est pays de chrétienté, participe à ses problèmes. Le péril musulman, pour commencer, reste toujours à l'horizon des hommes de ce temps; le XIIe siècle (faisons-le commencer, pour la bonne dose, en 1096 et finir en 1204) est le siècle des Croisades : croisades d'Orient, Jérusalem, Constantinople, croisade d'Espagne, dont la *reconquista* n'est encore qu'à demi réalisée (le Cid meurt en 1099) : l'Islam espagnol du XIIe siècle reste plein de vigueur, sous les Almoravides, qui en 1111-1114 remontent encore jusqu'à l'Ebre, puis les Almohades : il faut attendre la fameuse victoire de Las Navas de Tolosa (1215) pour que la route du Sud soit ouverte aux chrétiens.

Nous retrouvons l'écho de ces aventures, de ces algarades (le mot nous vient de l'arabe à travers l'espagnol), dans la vie et les œuvres de nos troubadours : plus d'un fut croisé, à commencer par le plus ancien d'entre eux, Guillaume de Poitiers, croisé d'Orient en 1101-2 (et d'ailleurs malheureux : son armée fut taillée en pièces à la bataille d'Héraclée), et plus tard, en 1119, croisé d'Espagne. Nous possédons quelque 35 chants de croisade composés par nos poètes : la chanson a été, jusqu'à la création de la presse moderne, un des meilleurs instruments de propagande (voyez l'anthologie de P. Barbier et Fr. Vernillat, *Histoire de France par les chansons*). Il faut au moins citer la première en date, composée en 1137 par le jongleur Marcabrun pour soutenir la croisade du roi de Castille contre les Almohades, ce fameux « chant du lavoir » (le mot *lavador* revient au 6e vers de chaque strophe, à la rime) dont l'admirable et mâle mélodie devait demeurer longtemps populaire :

Pax in nomine Domini!
Fetz Marcabrus los motz e·l so.
Aujatz que di :
Cum nos a fait, per sa doussor,
Lo Seinhorius celestiaus
Probet de nos un lavador,
C'anc, fors outramar, no·n fon taus,
En lai deves Josaphas :
E d'aquest de sai vos conort.

« La Paix au nom du Seigneur! »
Paroles et musique de Marcabrun.
Puisque le Seigneur des cieux, par sa douceur,
tout près de nous a fait un lavoir,
tel que jamais on n'en put voir,
fors outremer, là-bas vers Josaphat :
c'est pour celui d'ici que j'exhorte.

Lavar de ser e de maiti
Nos deuriam, segon razo,
  Ie·us o afi.
Chascuns a del lavar legor :
Doment e qu'el es sas e saus,
Deuri'anar al lavador,
Que·ns es verais medicinaus;
Que s'abans anam a la mort,
D'aut en sus aurem alberc bas.

Nous y laver, soir et matin,
nous devrions bien, selon raison,
  je vous le dis.
Chacun a de se laver loisir;
tant qu'il est sain et sauf,
devrait aller au « lavandou »,
qui nous est vrai remède;
que si avant allons à la mort,
non là-haut, mais bien bas serons hébergés.

E·il luxurios corna-vi,
Coita-disnar, bufa-tizo,
  Crup-en-cami
Remanran inz el felpidor;
Dieus vol los arditz e·ls suaus
Assajar a son lavador...

Luxurieux, corne-vin,
presse-dîner, souffle-tison,
  croupe-en-cheminée,
resteront dans le « purgeoir »;
les hardis, les braves, Dieu
les veut éprouver en son lavoir... [13]

2. Mais le XIIe siècle a aussi connu, à l'intérieur de la chrétienté une vie spirituelle intense qui s'est exprimée, notamment, par la floraison, sous des formes variées, de l'institution monastique. On l'a quelquefois appelé « le siècle de saint Bernard (mort en 1153); mais si importante qu'ait été l'influence de Cîteaux, ces deux noms ne suffisent pas à résumer un mouvement extrêmement complexe : Cluny, qui avait réformé, au cours des Xe et XIe siècles, nombre d'abbayes de la moitié sud de la France, à Limoges (St. Martial), Beaulieu, Tulle, Aurillac, Figeac, Moissac (St. Pierre), Toulouse (La Daurade), Auch, connaît lui aussi, après un certain fléchissement au début du XIIe siècle, une nouvelle vie, grâce à la réforme énergique de Pierre le Vénérable. Expansion d'autre part des ordres récemment fondés, comme celui de Grandmont sur le territoire de Limoges (1074), ou de Sauvemajeure sur celui de Bordeaux (1079, avec l'appui de Guillaume VIII, le père de notre troubadour), comme la chartreuse de St. Bruno (1084) ou – nous aurons à nous intéresser à lui – l'ordre mixte de Fontevrault établi par Robert d'Arbrissel en 1101. Tout au long du XIIe siècle surgissent des institutions originales, inspirées par un renouveau de l'esprit évangélique : les nouvelles communautés de chanoines réguliers n'intéressent pas seulement les provinces du Nord (St. Victor de Paris, les Prémontrés de St. Norbert); le Midi aussi en a connu (Angoulême, St. Émilion, St. Sernin de Toulouse, Carcassonne, Maguelone, Nîmes...). C'est un Provençal, saint Jean de Matha qui fonde, vers 1198, l'ordre des trinitaires, pour le rachat des captifs en pays musulman; la même année 1198, Innocent III approuve les statuts de l'ordre hospitalier du Saint-Esprit établi à Montpellier...

3. Tout le milieu de civilisation dans lequel baignent l'œuvre et la vie des troubadours est donc profondément imprégné de christianisme, sous sa forme orthodoxe, celle du catholicisme latin. Et pourtant, ô paradoxe, celui-ci n'inspire pas toute la vie religieuse du temps. A preuve, l'étonnant succès qu'a connu l'hérésie cathare, en ce même

XIIe siècle, et particulièrement en Languedoc. Malgré tant d'efforts dépensés, tant de beaux travaux (et notamment les textes nouveaux versés au débat par l'infatigable découvreur qu'est le P. A. Dondaine, et si utilement exploités par Christine Thouzellier), tout n'est pas éclairci dans cet étrange épisode de l'histoire religieuse du Moyen Age, et notamment dans le problème de ses origines. Génération spontanée? Après tout, le dualisme est l'une des deux ou trois solutions possibles au problème du Mal et se présente naturellement à l'esprit humain comme une option, ou une tentation, permanente. Résurgence, après un long sommeil, des doctrines répandues dans l'Antiquité en Occident par la gnose ou le manichéisme? Apport venu de l'extérieur? L'érudition contemporaine pencherait plutôt, semble-t-il, pour ce troisième type d'explication.

Sans doute, comme toujours, il est difficile de cerner le point de départ du mouvement. On nous parle déjà de « manichéens » en Aquitaine en 1018, mais était-ce déjà des cathares? Depuis l'Antiquité, c'est un artifice de style, ou plutôt d'analyse, dans les milieux ecclésiastiques, que d'assimiler une secte nouvelle à une hérésie plus ancienne, dûment définie dans les catalogues de ces curieux collectionneurs que sont les hérésiologues. La tendance aujourd'hui est de chercher plutôt l'origine de nos cathares en Orient, chez les Bogomiles, ces hérétiques dualistes, peut-être héritiers des mystérieux Pauliciens, et qui, apparus à la fin du Xe siècle, fleurissaient dans les pays slaves des Balkans – Bosnie, Bulgarie, Macédoine, Thrace – et jusqu'à Constantinople. D'après le témoignage, tardif il est vrai, de l'inquisiteur Anselme d'Alessandria, ce serait des croisés français, venus à Constantinople lors de la seconde croisade (1147), qui y auraient contracté l'hérésie et, de retour dans leur pays, y auraient essaimé, en Lombardie – mais on pourrait imaginer aussi bien un cheminement inverse : l'hérésie n'avait pas été moins active en Italie du Nord et cela à une date précoce (dès 1025 des hérétiques *italiens* sont jugés à Arras). Ce qui semble assuré, c'est qu'au moment du plein épanouissement de l'hérésie albigeoise des contacts directs s'étaient établis entre elle et son homologue orientale. Discussions et divisions s'étant manifestées entre partisans d'un dualisme mitigé ou du dualisme absolu, nous voyons en Italie des membres de la secte s'en aller *ultra mare* en pays bogomile pour y recevoir, par l'imposition des mains, une investiture nouvelle dans telle ou telle tendance doctrinale. Chez nous, en 1167 (ou 1172), Nicétas, évêque d'une communauté bogomile de Constantinople, fera triompher le dualisme absolu dans le grand concile cathare tenu à St. Félix-de-Caraman près de Toulouse, assises solennelles où se manifesta en plein jour la puissance de cette contre-Église, si du moins nous ajoutons foi au seul texte qui nous en conserve le souvenir; son authenticité a été et reste contestée (tout est obscur dans cette histoire); cependant, parmi les spécialistes, une majorité penche pour admettre sa validité.

J'ai employé à dessein le terme de contre-Église car, bien que les cathares aient insisté, plus encore que les manichéens de l'Antiquité, sur leur attachement au nom même de Jésus, aux prières et aux rites chrétiens (le *Pater*, l'imposition des mains...), il s'agissait, bien plus que d'une simple hérésie, d'une tout autre religion, celle des deux Principes (la création étant l'œuvre d'un dieu méchant, la matière et le corps intrinsèquement mauvais), une religion à l'éthique originale, à la fois conciliante pour les simples croyants et extrêmement rigoureuse pour l'élite des parfaits qui, ayant reçu le sacrement suprême du *consolamentum*, étaient tenus à un ascétisme absolu. Chacun sait quels succès rencontra cette doctrine, dans les pays entre Rhône et Garonne : elle résista aux efforts tour à tour déployés par saint Bernard, les abbés de Cîteaux et à partir de 1206 par saint Dominique (qui fonde en 1216, à cette fin, l'ordre des Prêcheurs) et ne devait succomber qu'après la sanglante croisade des Albigeois (1209-1215) et la répression systématique poursuivie par l'Inquisition.

4. Si importants qu'apparaissent les cathares, leur courant n'épuise pas tout ce que l'époque a connu comme hérésies : on a souvent confondu ou mêlé avec eux, et cela dès le

Moyen Age, les Vaudois ou Pauvres de Lyon : à son début (1177) leur mouvement n'avait rien d'hétérodoxe; Pierre Valdès ne faisait en somme que reprendre le programme qui, dans la première moitié du siècle, avait été celui d'autres réformateurs malheureux, Pierre de Bruys, brûlé à Saint-Gilles vers 1132-1140, ou Henri de Lausanne, emprisonné pour finir par l'évêque de Toulouse en 1145. Il cherchait simplement à ranimer l'idéal évangélique de la pauvreté dans une Église trop confortablement installée dans le siècle (pareillement saint Dominique voudra que ses frères fussent des moines mendiants, pour avoir été témoin du scandale causé par ces prélats ou abbés clunisiens trop riches, trop puissants, trop fiers de leur honneur). Mais des maladresses ou des malentendus les poussèrent peu à peu dans le schisme, puis dans l'hérésie : aventure malheureuse qui n'est pas sans rappeler certains accidents survenus de nos jours au sein du mouvement des premiers prêtres-ouvriers. La leçon cependant ne fut pas perdue : saint François d'Assise devait réussir là où les Vaudois avaient échoué.

5. Nous retrouvons la même complexité si nous passons du plan religieux à celui de la structure sociale et politique. Le XIIe siècle appartient à ce que M. Bloch nous a appris a appeler « le second âge féodal » : nous assistons à l'épanouissement de ce système complexe de liens de dépendance personnelle; la structure idéalement hiérarchisée, qui du roi descend aux grands vassaux, puis aux seigneurs de moindre et moindre importance jusqu'aux simples chevaliers, n'empêche pas un émiettement territorial de la souveraineté, puisque la fidélité du vassal se paie par l'octroi du fief.

Réagissant contre cette décomposition, nous assistons à des tentatives de regroupement, inspirées d'un esprit dynastique : c'est ainsi que les comtes de Poitou, s'arrogeant le titre de duc d'Aquitaine, que les rois capétiens hésitent d'abord à leur reconnaître, rassemblent sous leur autorité Limousin, Angoumois, Périgord, englobent l'Auvergne; mais celle-ci ne leur obéit pas longtemps : rançon du système féodal, ces synthèses à peine réalisées tendent d'elles-mêmes à se dissoudre. Le duc Guillaume VIII hérite de la Gascogne, son fils Guillaume IX essaiera par deux fois d'enlever le comté de Toulouse à la dynastie des Raymond. On a rappelé comment, par le mariage de sa petite-fille Aliénor avec Henri Plantagenet, les domaines d'Aquitaine rejoignent ceux des comtes d'Anjou; bientôt, de Bordeaux à Rouen, toute la France de l'Ouest devient la possession continentale des rois d'Angleterre; la plupart des anciens troubadours, gentilshommes du Limousin ou du Périgord, relèvent de ce premier Commonwealth.

Parallèlement, une autre synthèse, qui sera définitive celle-ci, se constitue peu à peu, celle de leurs rivaux et de leurs rois, capétiens : le XIIIe siècle verra le Languedoc méditerranéen, puis le Toulousain entrer dans le domaine, et non plus seulement la mouvance, du roi de Paris; gage des annexions futures, un frère de saint Louis acquiert en 1246, par le mariage, le comté de Provence, terre d'Empire au-delà du Rhône.

6. Le grand corps de la chrétienté occidentale est bicéphale : à l'empereur, au roi (« le roi de France est empereur en son royaume »), et autres détenteurs du pouvoir temporel répond le pouvoir spirituel du pape et de la hiérarchie ecclésiastique, deux pouvoirs qui, s'ils se sont trouvés souvent en conflit, ne se pensent pas moins, idéalement, comme complémentaires, possédant chacun sa sphère d'action propre et destinés à collaborer, en se soutenant mutuellement, pour le bien du peuple chrétien. Comme les institutions monarchiques l'organisation de l'Église se développe, et formule la théorie de sa pratique : le XIIe siècle nous fait assister à l'accession au statut scientifique de la discipline originale qu'est le droit canon; dans les années 1140, Gratien, professeur à Bologne, compile le *Décret* qui va servir de base à son enseignement et à son existence.

La longue lutte qui oppose, du XIe aux XIIIe-XIVe siècles, sacerdoce et empire amène les deux partis à prendre une conscience toujours plus aiguë de leur originalité : d'un côté les canonistes déduisent progressivement, avec une logique rigoureuse, toutes les conséquences qu'implique le principe, indiscuté, d'une certaine supériorité du pouvoir des clefs; mais les théoriciens de l'empire ne restent pas inactifs. Dans ces mêmes écoles de Bologne, qui furent les premières à s'organiser en Université, comme dans les autres universités qui se créent successivement dans les divers pays d'Europe, l'étude du droit civil fleurit en même temps que celle du droit canon : : le XIIe siècle, entre autres renaissances, nous fait assister à un renouveau de l'étude du droit romain classique où les hommes du Moyen Age redécouvrent la notion antique du prince, incarnation de la souveraineté (le roi au-dessus des lois puisqu'il est la source de toutes les lois), amorce d'une renaissance de l'idéal païen de l'État : autre principe de contradictions, autre, et non moindre, menace pour l'existence même de la notion de chrétienté. C'est dans ces nouveaux principes que se formeront les légistes au service d'un Frédéric II de Hohenstaufen-Sicile, ou chez nous d'un Philippe le Bel : ce Nogaret qui au nom de celui-ci osera porter la main sur le pape Boniface VIII (Anagni, 1303) avait été professeur de droit à Montpellier avant de devenir juge de Beaucaire.

7. Le système féodal s'était développé à une époque où la seule véritable source de richesse était la terre et le système d'exploitation, directe ou indirecte, qui en faisait bénéficier le seigneur. Or, à côté de cette structure économique héritée du passé, voici qu'apparaissent des types nouveaux : les villes se développent et, avec elles, la classe des marchands; le commerce, souvent lointain, devient de plus en plus une source féconde de richesse.

A l'intérieur même de la poésie lyrique de nos troubadours on perçoit l'écho du conflit opposant ces institutions anciennes et nouvelles, ou de l'alliance qui se nouait entre telles et telles – l'état royal par exemple et les marchands. Ainsi chez Bertrand de Born, ce hobereau, porte-parole de la vieille féodalité, chantre exalté de la guerre fraîche et joyeuse : ah! quand celle-ci revient :

Trompas, tabors, senheras e penos,
E entresenhz e chavaus blancs et niers
Veirem en breu : que·l segles sera bos!
Que om tolra l'aver als usuriers,
E per chamis non anara saumiers
Jorn afiat, ni borzes sens doptanza,
Ni merchadiers que venga deves Fransa,
Anz sera rics qui tolra volontiers!

Trompes, tambours, bannières et pennons,
enseignes et chevaux blancs et noirs
verrons bientôt : qu'il fera bon vivre!
on prendra leur bien aux usuriers,
et par chemins n'iront plus convois
de jour tranquilles, ni bourgeois sans tracas,
ni marchands qui viendront de la France,
mais sera riche qui pillera de bon cœur [14]!

En présence d'un tel foisonnement, on réalise combien il est impossible de se contenter d'une vision en quelque sorte monolithique de l'histoire et de considérer une civilisation comme celle des pays d'Oc au XIIe ou XIIIe siècle sous l'aspect d'un organisme aux parties mutuellement dépendantes et hiérarchisées en fonction d'une inspiration commune, d'un principe ou d'une idée. Mais non : tous ces courants d'idées, ces systèmes coexistaient plus ou moins pacifiquement, se combattaient ou s'influençaient mutuellement, se disputaient les hommes de cette même époque, parfois même à l'intérieur du même homme, d'une seule destinée. Combien significative, dans sa brièveté, la *Vida* du troubadour Fouquet de Marseille (après vérification – nous la devons à un savant polonais St. Stronski – les faits signalés sont exacts, à part ceux qui concernent l'aventure sentimentale, imaginée pour rendre compte des chansons) :

Folquetz de Marseilla si fo filhs d'un mercadier que fo de Genoa et ac nom Ser Amfos, « fils d'un marchand génois qui s'appelait Messer Anfossi. Et quand son père mourut, il le laissa riche d'avoir. Et il brilla en Prix et en Valeur; il se mit au service des nobles seigneurs et à vivre en familier avec eux, à fréquenter les cours. Et il fut bien reçu et fort honoré par le roi Richard (scil. Cœur de Lion) et par le comte Raymond (V) de Toulouse et par Sire Barral, son seigneur de Marseille. Il « trouvait » fort bien et fut bel homme de sa personne. Et il s'éprit de la femme de son seigneur, Sire Barral; il la priait et faisait ses chansons sur elle; mais oncques pour prière ni chanson n'y put trouver merci, vu qu'elle refusait de répondre à son amour : c'est pourquoi il se plaint tout le temps d'Amour en ses chansons. Et il advint que la dame mourut, et Sire Barral, son mari à elle et son seigneur à lui, qui lui avait tant fait d'honneur, et le bon roi Richard, et le bon comte Raymond de Toulouse et le roi Alphonse (II) d'Aragon. D'où lui, par regret de sa dame et des princes que j'ai dits, abandonna le monde et entra dans l'ordre de Cîteaux, avec sa femme et les deux fils qu'il avait. Et il fut fait abbé d'une riche abbaye de Provence qui a nom le Thoronet. Et puis il devint évêque de Toulouse, et là il mourut [15] ». Le jongleur passe bien rapidement sur cette dernière période de sa vie (1205-1231) qui ne fut pas la moins active : Fouquet joua un rôle de premier plan lors de la croisade des Albigeois ou dans la répression de l'hérésie et travailla à la création de l'université de Toulouse (1229). Les chroniqueurs tracent de lui une image impitoyable : il est permis de penser qu'il faisait expier ses erreurs passées aux malheureux Albigeois, un peu comme Rancé, plus tard, faisait pénitence sur le dos de ses trappistes!

8. La richesse thématique et l'entrelacement polyphonique n'apparaissent pas moindres dans le domaine de la vie de l'esprit, de la culture. Au premier plan, la « reine des sciences », la théologie – comme il est naturel dans cet âge qui, s'il a été aussi autre chose, est d'abord un siècle chrétien. L'idée qu'il convient de se faire de celle-ci est d'ailleurs elle-même complexe : deux grands livres, l'un de Dom

J. Leclercq, l'autre du P. M. D. Chenu, viennent d'éclairer le phénomène sous les feux convergents de leur érudition, bénédictine et dominicaine; après les avoir lus, on ne peut plus réduire la théologie du XIIe siècle aux seuls prodromes et gestation de ce qui sera la scolastique classique du XIIIe. Il faut faire une place, non moins importante, à une forme de pensée qui continue la tradition monastique et d'abord patristique, à cette théologie symbolique, qui demeure beaucoup plus proche de la vie spirituelle; ce sera celle, par exemple, de l'école de Saint-Victor; nous en retrouverons l'écho dans la pensée des troubadours.

9. Lorsqu'on évoque ce phénomène majeur qu'a été l'émergence au XIIe, puis la multiplication au XIIIe siècle, de ces centres actifs de culture que furent les grandes universités (elles ne sauront pas toujours le rester), on pense d'abord, encore une fois avec raison, à la science sacrée, philosophique et théologique à la fois (les deux sont alors inextricablement mêlées); mais les universités ne se réduisaient pas à la seule faculté de théologie et à celle des « arts » qui y préparait. Nous avons déjà mentionné, à propos de Bologne, l'étude du droit canon et du droit civil. Prenons le cas de Montpellier où nous avons rencontré Guillaume de Nogaret. Si son université ne reçoit qu'en 1220, du pape, l'approbation de ses statuts, elle possédait dès 1160 une école de droit et sa fameuse école de médecine remonte bien plus haut encore, vers 1020 semble-t-il. Dans l'image que nous nous faisons de la Renaissance du XIIe, il ne faut pas oublier la présence d'un tel secteur proprement scientifique.

C'est d'abord cet encyclopédisme de caractère livresque, épris d'anecdotes et de faits merveilleux, que le Moyen Age a recueilli dans l'héritage de la fin de l'Antiquité – de Pline l'Ancien à Isidore de Séville ou au *Physiologus*. De là proviennent ces comparaisons empruntées au bestiaire dont le troubadour Rigaud de Barbezieux s'était fait une spécialité; le poète s'imagine, en face de sa dame :

Atressi com l'olifant
Que, quan chai, no's pot levar
Tro que l'autre, ab lor cridar,
De lor voz lo levon sus...

Tout ainsi que l'éléphant
qui, s'il tombe, ne peut se relever
tant que les autres, à force de crier,
de leur voix le remettent sur pied [16].

Atressi com lo leos,
Que es tant fers quan s'irais
De son leonel quand nais
Mortz, ses alen e ses vida,
Et ab sa votz, quan l'escrida,
Lo fai reviure et anar...

Tel que le lion,
si furieux quand il s'irrite
de son lionceau qui naît
mort, sans souffle et sans vie,
mais qui de sa voix, quand il le crie,
le fait revivre et aller [17].

Mais bientôt on voit le siècle s'orienter vers les méthodes d'investigation positive qui seront un jour celles de notre science : avant Montpellier, il y a eu Salerne, dont l'école de médecine connaît à partir de 1060 une étonnante prospérité et, grâce à ses traductions, récupère au profit de l'Occident, la science des grands médecins grecs, Hippocrate, Galien, ou arabes. Les mathématiques à leur tour font leur réapparition, grâce à l'influence arabe à partir d'un Gerbert d'Aurillac, pape de 999 à 1003 sous le nom de Sylvestre II.

10. Inutile d'autre part d'insister sur l'élément proprement Renaissance, littéraire, c'est-à-dire la redécouverte des grands auteurs de l'antiquité païenne, un commerce intime avec eux, et, appris d'eux, ce goût du beau langage, l'amour des belles lettres que la scolastique triomphante exilera au XIIIe siècle avec sa rude discipline et sa technicité. Il a existé un humanisme du XIIe siècle, dont il ne faut contester ni la qualité, ni la vigueur, ni la fécondité. Si la connaissance du grec reste exceptionnelle (c'est dans la Sicile des rois normands, milieu privilégié où confluaient les trois cultures méditerranéennes, qu'Henri Aristippe traduit, vers 1156, deux dialogues de Platon), quelle profonde assimilation n'observons-nous pas des classiques latins, et cela chez les auteurs des plus inattendus : l'ascétisme fougueux de saint Bernard, qui lui fera déceler mille dangers dans l'inspiration philosophique d'un Abélard, s'arrête en deçà de Cicéron : non sans surprise nous voyons le *De amicitia* du vieux consul romain apporter sa contribution à l'élaboration d'une théologie mystique. Il ne faudra pas s'étonner de rencontrer chez nos troubadours tant de réminiscences classiques, ou l'influence d'Ovide, elle aussi paradoxalement transposée : *œtas Ovidiana*, a-t-on dit du XIIe siècle, parmi tant d'autres définitions proposées, dont aucune n'épuise sa richesse. Siècle d'humanistes, il nous a laissé une riche production en langue latine dont l'examen s'imposera lorsqu'il s'agira de déterminer les sources probables ou possibles de l'art des troubadours.

11. Et pourtant ce siècle est aussi, nous l'avons marqué pour commencer, celui qui nous fait assister à l'épanouissement d'une littérature en langue vivante, vulgaire comme on disait. Celle-ci à son tour se laisse analyser en filons divers, tour à tour parallèles ou interférents. Si grand que soit le rôle de la lyrique amoureuse dans la littérature d'Oc, elle n'épuise pas celle-ci, qui a connu aussi un genre narratif, traité en vers, bien que de différentes manières il se rattache à ce qui est devenu chez nous le roman. Au témoignage, nécessairement lacunaire, des œuvres conservées, il faut joindre les allusions innombrables qui se rencontrent à tout instant sous la plume de nos troubadours. On constate alors combien leur public était familier, pour commencer, avec le répertoire de l'épopée médiévale : Roland, Vivien (et la geste Guillaume), et l'admirable *Girard de Roussillon*, écrit dans un dialecte, peut-être artificiel, à demi occitan... On peut suivre, à l'intérieur du pays d'Oc l'évolution, ou plutôt la dégradation progressive de cette veine épique qui glisse au romanesque, s'alourdit d'éléments comiques : le *Roland à Saragosse*, qui paraît bien dater du XIVe siècle est déjà dans la ligne qui conduit à Pulci, Boiardo et au *Roland furieux*. Mais quelque chose d'épique resurgit dans les poèmes proprement historiques, comme la *Chanson d'Antioche* (sur le fameux siège de 1098) ou celle de la *Croisade albigeoise*, due, comme le *Roman de la Rose*, à deux auteurs successifs, le second un partisan fougueux du parti vaincu.

12. Le Midi n'était pas moins familiarisé avec la riche matière de Bretagne, le cycle du roi Arthur et de ses chevaliers, la Quête du Graal, Gauvain, Perceval, la belle histoire de Tristan et Yseult. Les allusions y sont nombreuses, telle d'entre elles (on l'a relevée dans un vers de Cercamon, antérieur à 1150) est plus ancienne que les premiers poètes d'Oïl qui ont traité en français ces thèmes d'origine et d'inspiration celtiques. Une chanson du même troubadour érudit Rigaud de Barbezieux commence ainsi :

Atressi com Persavaus
El temps que vivia,
Que s'esbaï d'esgardar
Tant que no saup demandar
De que servia
La lansa ni ·l Grazaus...

Tout ainsi que Perceval
au temps où il vivait,
qui s'ébahit tant à contempler
qu'il ne sut (*ou* : n'osa) demander
à quoi servait
la lance et le Graal [18].

13. Il y a une autre veine qui, me semble-t-il, a moins retenu jusqu'ici l'intérêt de l'érudition, encore qu'elle pousse, elle aussi, fort loin ses racines : je veux parler de ces romans d'aventures aux péripéties en cascade : enlèvements, poursuites, reconnaissances, qui se rattachent à la tradition, toujours bien vivante en milieu byzantin, du roman hellénistique.

La littérature d'Oc s'y est beaucoup intéressée : de là viennent ces couples de parfaits amants, comme Floris et Blanchefleur qui servent d'exemple au même titre que Tristan et Yseult. C'est à cette veine que se rattache une légende comme celle de Pierre de Provence et la belle Maguelone qui a connu une longue popularité en France dans la littérature de colportage, avant d'inspirer Ludwig Tieck et Brahms.

14. Pour achever ce tableau, déjà si encombré, de la vie de l'esprit dans l'Occitanie du XIIe siècle, il faudrait, à côté de la littérature, accorder la place qui revient aux autres arts : la musique – mais celle-ci nous allons la retrouver chez les troubadours eux-mêmes – l'architecture, la plastique : les troubadours sont aussi les contemporains du grand art roman dont la floraison majeure coïncide avec leur époque et leur propre milieu. Si on reporte sur une carte les églises que certains archéologues ont attribuées aux écoles périgourdine, auvergnate et provençale (passons sur ce que ce classement a d'un peu artificiel), on constate qu'elles recouvrent presque exactement l'aire occupée par les lieux d'origine des troubadours. L'architecture romane est inséparable de sa sculpture; nous avons appris à y joindre ces fresques, au répertoire si riche et varié; comment ne pas se souvenir aussi des émaux limousins, cet *opus lemovicum* dont l'éclat indestructible s'imprime dans le souvenir à l'égal de l'éclat sonore d'une strophe des grands troubadours, eux aussi limousins, du même temps?

C'est tout cela, et j'en oublie, qui était la vie des hommes en ce temps-là. Pour présenter la synthèse de ce que notre analyse a dû pièce par pièce décomposer, j'emprunterai à l'un des plus charmants, et certainement le plus original des romans de langue d'oc, *Flamenca* (Alexander Blok, de nos jours, devait lui emprunter l'intrigue de son drame *la Rose et la Croix*), le tableau qu'il donne d'une fête en milieu seigneurial : fête donnée au château de Bourbon-l'Archambault à l'occasion du mariage du comte avec l'héroïne, Flamenca, et à laquelle assiste le roi de France; tableau tout de fantaisie, où ne manque même pas une note bien méridionale de galéjade, mais où le poète (du XIIIe siècle assez avancé) incarne avec une visible complaisance tous les rêves, tout l'idéal de son époque, toute une civilisation.

« Le lendemain était la Saint-Jean, une fête riche et grande. L'évêque de Clermont chanta la grand-messe du jour et fit sermon de Notre-Seigneur et comment il aima tant saint Jean qu'il l'appela « plus que prophète ». La messe ouïe, le roi prit Flamenca par la main et sortit avec elle du moûtier. Après lui venaient bien trois mille (!) chevaliers conduisant autant de dames. Tous ensemble s'en viennent au palais où le festin était préparé. Palais grand et large : dix mille chevaliers s'y pourraient tenir et bien à l'aise, outre les dames et demoiselles, leur compagnie, damoiseaux et serviteurs, et les jongleurs qui étaient plus de mille et cinq cents (!).

« Après s'être lavés, tous se sont assis, non sur des bancs, mais sur des coussins couverts de soie diaprée; elles n'étaient ni pesantes ni rudes, les serviettes où s'essuyer les mains, mais toutes belles et fines. Quand les dames furent assises, on servit à manger, de toute guise (passons sur le menu!)... Le repas fini, on se lave à nouveau, et sans quitter sa place, on prit le vin selon l'usage; puis les nappes furent enlevées; chacun s'installe. Ensuite se lèvent les jongleurs : tous veulent se faire entendre. Alors vous auriez entendu retentir des cordes aux accords divers. Qui sait air nouveau de viole, chanson, descort ou lai, se pousse avant de son mieux. L'un viole le Lai du Chèvrefeuille, l'autre celui de Tintagel; l'un chante celui des Fins amants, l'autre celui d'Ivain. L'un mène la harpe, l'autre viole, ou flûte, ou siffle; la gigue, la rote; l'un dit les mots, l'autre accompagne : musette, pipeau, cornemuse et chalumeau; l'un joue de la mandore, l'autre accorde le psaltérion avec le monocorde. L'un fait jouer des marionnettes, l'autre jongle avec des couteaux; l'un se jette à terre, l'autre cabriole; qui danse avec sa bouteille, passe cerceau ou fait des sauts : nul ne manque à son métier.

« Qui voulait entendre histoires de rois, comtes ou marquis, en put ouïr à s'en passer l'envie, car l'un conta de Priam et l'autre de Pyrame; ou de la belle Hélène que Pâris enleva;

d'autres d'Ulysse et d'Hector et d'Achille, d'Énée qui laissa Didon dolente et mesquine... (Passons trente vers : tout le répertoire de l'Antiquité, classique et biblique, y défile) : l'un dit de la Table Ronde, l'autre de Gauvain et du lion qui fut copain du chevalier qui délivra Linette (tout le répertoire breton y passe à son tour : Viviane, Lancelot, Erec et Enide, Tristan, Mordret; puis voici la matière de France) : l'un conte comment Charlemagne tint l'Allemagne jusqu'à ce qu'il la partageât; l'autre toute l'histoire de Clovis et Pépin. (Et pour finir) : l'un dit le vers de Marcabrun, l'autre conta comment Dédale sut bien voler et d'Icare comme il se noya par sa légèreté. Chacun dit de son mieux; musiciens et conteurs faisaient si bien qu'un grand murmure remplit la salle.

« Le roi dit à l'assemblée : Seigneurs chevaliers, quand vos écuyers auront mangé, faites seller vos chevaux et nous irons jouter; mais en attendant, je veux que la reine ouvre la danse : avec Flamenca, ma douce amie, moi-même y prendrai part. » Suit le récit du bal et du tournoi, avant lequel le comte Archimbaud trouve le temps d'armer neuf cent et quatre-vingt-sept (!) nouveaux chevaliers (il eût fallu, pour être complet, mentionner aussi la chevalerie – mais cela suffit [19]).

Décret de Gratien (Les degrés de parenté)

Pater
Mater
Frater
Soror
Filius
Filia
Nepos
Neptis
Auus
Auia
Proauus
Proauia
Abauus
Abauia
Atauus
Atauia
Trinepos
Trineptis

Cunault
Fontevrault
Airvault
Preuilly
St Jóin-des-Marnes
Poitiers
Parthenay
St Savin
Nouaillé
Chauvigny
Nieul
Melle
Civray
Ruffec
Aulnay
Lesterps
Sablonceaux
Limoges
Cognac
Angoulême
Saintes
Solignac
Vx Mareuil
Gensac
St-Jean-de-Cole
Soulac
Agonac
Pleineselve
Périgueux
Vertheuil
Guitres
Pt Palais
Souillac
St Émilion
Beaulieu
Figeac
Monsempron
Cahors
Conques
Le Mas d'Agenais
Moissac
Moirax
St Sever
Toulouse
Oloron
St Gaudens
Carcassonne
École périgourdine
École auvergnate
École poitevine
École provençale
Corneilla
St-Martin-de-Canigou

ART ROMAN ET PAYS D'OC

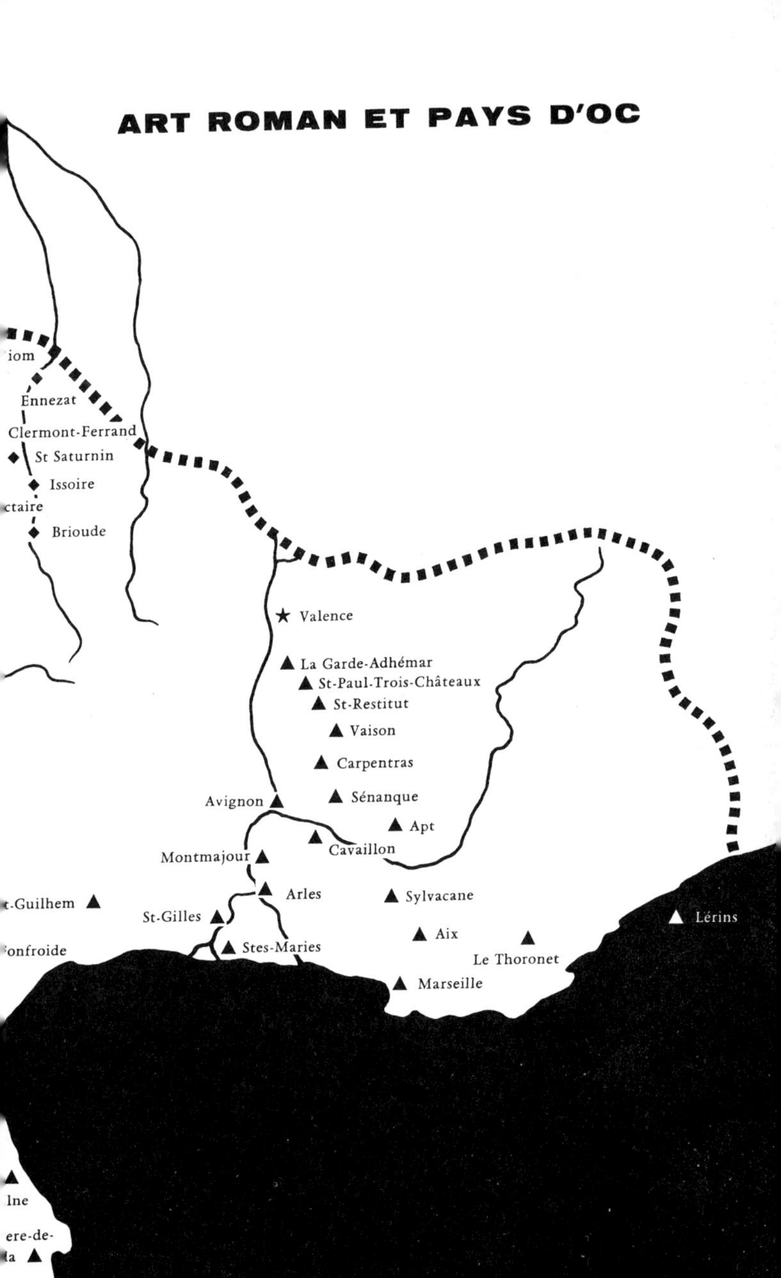

Ce siècle féodal...

Le lecteur aura relevé au passage le nom de Marcabrun : l'activité des troubadours appartient elle aussi à la Renaissance du XIIe siècle, dont elle vient enrichir et compliquer l'image. Il s'agit bien en effet de nouveautés, d'une création. Le phénomène « troubadours » s'insère à l'intérieur d'un phénomène plus général qui est l'apparition, au sein de la société féodale de la France du Sud, d'un nouvel art de vivre, plus humain, plus raffiné, plus subtil; des cours seigneuriales où il s'est développé il a tiré son nom : l'idéal courtois.

Il ne faut pas s'y tromper : nous voyons bien nos troubadours fréquenter les cours royales; comme Bernard de Ventadour au couronnement d'Henri Plantagenet, nous trouvons Arnaud Daniel assistant à celui de Philippe Auguste (1180), qu'il appelle curieusement « le bon roi d'Étampes » : *C'al coronar fui del bon rei d'Estampa* [20].

Et bien d'autres, ailleurs. Mais ils n'étaient pas au service de la royauté en tant que celle-ci s'orientait vers la notion moderne d'État : ils fréquentaient ces cours en tant qu'elles étaient, elles aussi, des cours féodales. Autant et plus que celles des rois, les cours de leurs vassaux ont reçu et vu séjourner les troubadours. Ce ne sont pas les plus puissantes qui ont joué le plus grand rôle dans l'histoire de la poésie.

Ainsi Ventadour : si puissamment assis que fût son château dont nous admirons aujourd'hui encore les ruines hautaines, ce n'était après tout que le siège d'une des quatre vicomtés du Limousin (avec Limoges, Comborn et Turenne), et donc une seigneurie de second ordre sur l'échiquier féodal. Et pourtant Ventadour a été un foyer actif de création artistique et de mécénat pendant trois ou quatre générations, depuis Ebles II, le Chanteur (...1096-1147...), qui fut avec son suzerain Guillaume de Poitiers le créateur de la chanson d'amour idéalisé; nous n'avons pas conservé ses œuvres, mais ses contemporains ou successeurs parlent comme d'un symbole de perfection du style ou de l'école de Sire Ebles, *la troba* ou

Le Thoronet

l'escola N'Eblo. Cercamon lui a dédié une de ses pièces, comme Bernard Marti l'a fait pour son fils et successeur, Ebles III, dont le plus grand titre de gloire est d'avoir protégé les débuts, comme on l'a vu, du grand Bernard de Ventadour. La femme de son petit-fils, Ebles V, poétesse à son heure, joua un rôle d'inspiratrice pour les troubadours de sa génération, à commencer par Gaucelme Faidit (...1185-1220...), fils de bourgeois et aventurier. Cette Marie de Ventadour était, avec Comtors de Comborn et Aélis de Montfort, l'une des trois sœurs de Turenne dont Bertrand de Born a chanté la beauté :

De tota beltat terrena
An pretz les tres de Torena.

Sur toute beauté terrestre
Ont prix les trois de Turenne [21].

Entre les deux types de cours il ne devait pas y avoir de distinction bien nette : celles des puissants comtes de Toulouse ou, en Italie, des marquis de Montferrat, ne devaient le céder en rien à celles des rois d'Aragon, de Castille ou de Léon. Nous voyons celle de Poitiers passer d'une catégorie à l'autre : seigneuriale au temps des ducs d'Aquitaine Guillaume IX ou X, elle devient royale après le mariage d'Aliénor avec Henri Plantagenet, et avec leurs fils Henri au Court Mantel, Richard Cœur de Lion, Geoffroy de Bretagne. La tradition sera continuée, en lieu et place du dernier fils d'Aliénor, Jean sans Terre, par son sénéchal d'Aquitaine, ce grand seigneur fastueux et libéral que fut Savaric de Mauléon.

Étonnantes mœurs que celles de ces Plantagenet, famille maudite (on la disait issue du Démon et ses membres, acharnés les uns contre les autres, justifiaient par là leurs fureurs, avec des accents dignes des *Karamazov*) : dès 1173 Aliénor pousse ses fils à se révolter contre leur père; celui-ci la fera enlever par ses routiers et elle passera dix ans captive en Angleterre, notamment dans les châteaux de Winchester et Salisbury. Puis les fils à leur tour se déchirent entre eux : le jeune roi Henri contre Richard à qui son père avait confié Poitiers, plus tard Jean sans Terre entre en jeu, contre frère ou neveu... Mais ce n'est pas le lieu d'évoquer cette accumulation, shakespearienne, de crimes!

Tous ces nobles, où qu'ils fussent placés dans la hiérarchie féodale, constituaient d'abord une aristocratie de guerriers : quand on nous fait l'éloge d'un d'entre eux, autant que « bel homme » on nous le montre « bon chevalier ». La guerre est, avec la chasse et le tournoi, le passe-temps noble par excellence. Ainsi, et sur un ton satirique, Bertrand de Born, après s'être moqué des *guerrejadors* sans courage et des *bastidors* de châteaux :

D'autres n'i a chassadors
Per la costuma tener
Que's fan ric ome parer
Quar aman chas e austors,
E cor tabor e laire...

D'autres se font chasseurs
pour suivre la coutume
qui fait paraître riches (*ou* : nobles)
ceux qui aiment chasse et autours,
le son du cor, du tambour, les abois [22].

Il passe ensuite aux *rics tornejadors*, car si certains, comme précisément le jeune roi Henri, se ruinent au tournoi, d'autres savent y rançonner et s'enrichir. Bertrand de Born mérite qu'on le cite plus longuement : Dante déjà voyait en lui le poète de la guerre :

Bela m'es pressa de blezos
Cubertz de teintz vermelhs e blaus,
D'entresenhz e de gonfanos,
De diversas colors tretaus,
Tendas e traps e rics pabalhos tendre,
Lansas frassar, escutz traucar, e fendre
Elmes brunitz, e colps donar e prendre.

Belle m'est la presse des boucliers
aux couleurs de vermeil et d'azur,
d'enseignes et de gonfanons,
de diverses couleurs tretous;
tentes, abris, riches pavillons dresser,
les lances briser, les écus trouer et fendre
les heaumes brunis; des coups donner et recevoir [23].

Comme les autres troubadours, il a chanté « le gai temps de Pâques », *Be·m platz lo gais temps de Pascor...* mais pour lui, c'est moins la « saison charmante » des fleurs, des oiseaux et de l'amour que celle des combats :

E ai grant alegratge
Quant vei per champanha renjatz
Chavaliers e chavaus armatz.

et j'ai grande allégresse
quand je vois en campagne rangés
chevaliers et chevaux armés.

E platz mi quan li coredor
Fan las gens e l'aver fugir,
E platz mi quan vei apres lor
Grand re d'armatz ensems venir
E platz mi en mon coratge
Quan vei fortz chastels assetjatz,
Els barris rotz e esfondratz,
E vei l'ost el ribatge
Qu'es tot entorn clautz de fossatz
Ab lissas de fotz pals seratz.

Il me plaît quand les coureurs
font gens et bétail s'enfuir;
il me plaît de voir leur courir sus
force guerriers, tous ensemble.
Il plaît surtout à mon cœur
de voir châteaux forts assiégés,
enceintes rompues et effondrées,
de voir l'armée sur le bord,
tout autour de fossés enclos
et de lices aux forts pieux serrés.

E altresi·m platz de senhor
Quant es premiers a l'envazir
En chaval armatz, sens temor,
Qu'aissi fai los seus enardir
Ab valen vassalatge...

Il me plaît aussi le seigneur
quand le premier il se lance à l'assaut,
sur son cheval armé, sans frémir
pour faire les siens enhardir
de son vaillant courage...

Eu·s dic que tan no m'a sabor
Manjar, ni beure, ni dormir
Com a quant aug cridar : « A lor! »
D'ambas las partz, e aug ennir
Chavaus voitz per l'ombratge,
E aug cridar : « Aidatz, aidatz! »
E vei chazer per los fossatz
Paucs e grans per l'erbatge,
E vei los morts que pels costatz
An les tronzos ab los sendatz.

Je vous le dis : rien n'a pour moi saveur,
ni manger, boire ou dormir,
autant que d'entendre crier : « En avant! »
des deux côtés, et d'entendre hennir
les chevaux démontés, en forêt,
et crier : « A l'aide, à l'aide! »
et voir tomber dans les fossés
grands et petits dans la prairie,
et voir les morts avec, dans le côté,
tronçons de lance et leurs fanions [24].

Car la guerre, pour ce chevalier brigand, c'est la grande vie, l'occasion de s'enrichir :

Quar grans guerra fai d'eschars senhor larcs,
Per que·m platz be dels reis vezer la bomba,
Que n'aian ops paisso, cordas e pom,
E·n sian trap tendut per fors jazer,
E·n s'encontrem a miliers e a cens,
Si qu'apres nos en chant om de la gesta!

Car grand guerre fait d'un seigneur avare un généreux :
pour quoi me plaît bien des rois voir la pompe,
qu'ils aient besoin de pieux, cordes et pommeaux
et soient les tentes dressées pour camper dehors.
Ah! nous rencontrer par milliers et centaines,
qu'après nous on en chante la geste!

Qu'eu n'agra colps receubutz en ma tarja
E fait vermelh de mon gonfanon blanc...
Escut al col et chapel en ma testa!

Puissé-je avoir reçu coups en ma targe
et rendu vermeil mon gonfanon blanc,
l'écu au col et le casque en ma tête [25].

Il n'y a pas que ces rencontres brutales : Bertrand de Born n'est pas sans avoir connu les exploits, d'un autre ordre, de la cavalerie de Saint-Georges : ainsi, à propos d'un épisode du long conflit entre les Plantagenet et le roi Philippe Auguste :

E no foron Angevi ni Mansei
Que d'esterlis foro·lh premier conrei
Que desconfiron la gen champanesa.

Ce ne furent Angevins ni Manceaux,
mais de sterlings un premier convoi
qui déconfit la gent champenoise [26].

Car la guerre proprement dite, siège ou bataille rangée, n'est en ce temps féodal qu'un incident, rarement décisif, qui vient couronner une longue série de tractations, de négociations, d'alliances, toute une diplomatie complexe et fragile tant s'y combinent ou s'y combattent la haine et l'ambition, l'esprit de famille et la fidélité. Bertrand de Born en est aussi un bon témoin :

Totjorn ressoli e retalh
Los baros e·ls refon e·ls calh...

Je passe mon temps à ressemeler et recoudre
les barons : je les refonds, les coagule... [27]

Tout est toujours à refaire : à peine conclu l'accord menace de se défaire entre ces puissances dérisoires (c'est une diplomatie à l'échelon du chef-lieu de canton) :

Pois Ventadorns e Comborns ab Segur,
E Torena e Monfortz ab Gordo,
An fait acort ab Peiregorc e jur...

Puisque Ventadour, Comborn et Segur,
puisque Turenne et Montfort et Gourdon,
ont fait accord avec Talleyrand et juré..., [28]

ce n'est pas trop d'un *sirventés* pour les encourager à tenir bon!

Tout en participant aux querelles de la grande politique royale, notre châtelain ne perdait pas de vue les intérêts plus directs de sa petite guerre privée avec son frère Constantin pour la possession de Hautefort. Après la mort prématurée, à vingt-huit ans (1183), de son protecteur et allié, Henri Courtmantel, Bertrand vit Richard Cœur de Lion venir assiéger son château, qui dut bientôt capituler. Heureusement le poète vint au secours du seigneur révolté et vaincu : les clés de Hautefort une fois rendues, Bertrand de Born usa de son éloquence pour persuader Richard de le lui restituer en fief et de recevoir sa soumission (en fait, le bienfait obtenu, il tiendra sa promesse et ne cessera de soutenir de ses chansons de propagande Richard Cœur de Lion dans ses longues luttes contre le roi de France).

L'histoire est assez belle, mais la légende s'est chargée de l'enrichir encore. Les jongleurs qui répétaient les chansons de Bertrand de Born prirent au sérieux les boutades du poète qui, tout à son métier d' « agit-prop », s'attribuait volontiers l'origine des troubles qu'il était chargé d'entretenir :

Pois als baros enoja e lor pesa
D'aquesta patz qu'an faita li doi rei,
Farai chanso tal que, quant er apresa,
A chadaü sera tart que guerrei...

Puisque aux barons déplaît et leur pèse
cette trêve qu'ont conclue les deux rois,
je ferai chanson telle, qu'une fois apprise,
à chacun tardera de guerroyer [29].

On racontait : « Il voulait tout le temps qu'eussent guerre ensemble le père et le fils et le frère, l'un avec l'autre, et le roi de France contre le roi d'Angleterre. Et s'il y avait paix ou trêve, il s'efforçait par ses *sirventés* de la faire rompre, montrant comment chacun était déshonoré par cette paix [30]. » C'est pourquoi Dante, au chant XXVIII de *l'Enfer*, le relègue dans la même *bolgia* que Mahomet, parmi les fauteurs de scandale et de schisme; il le fait apparaître, portant par les cheveux sa tête coupée, *a guisa di lanterna* :

Sappi ch'i'son Bertram del Bornio, quelli
Che diedi al re giovane i ma' conforti.

Sache que je suis Bertrand de Born, celui
qui donna mauvais conseils au jeune roi.

Notre troubadour avait consacré un beau *planh* (*planctus*, déploration) au souvenir de ce jeune roi Henri qui incarnait l'idéal chevaleresque de toute sa génération, et jusque par ses défauts mêmes :

Mon chan fenisc ab dol e ab maltraire;
Per totztemps mais el tenc per remasut,
Quar ma razo e mon gaug ai perdut
El melhor rei que anc nasques de maire.

J'achève mon chant dans le deuil et les larmes;
pour toujours désormais le tiens pour terminé,
car ma raison et ma joie ai perdues
dans le meilleur roi qui jamais vint au monde [31].

Une partie de la tradition manuscrite lui en attribue un second, qui a été moins admiré au Moyen Age mais qui a plu davantage aux modernes, en ce qu'il se rapproche de notre idéal classique de l'éloquence :

Si tuit li dol e·lh plor e·lh marrimen
E las dolors e·lh dan e·lh chaitivier
Qu'om anc auzis en est segle dolen
Fossen ensems, sembleran tuit leugier
Contra la mort del jove rei engles.

Si tous les deuils, les pleurs et la tristesse,
si la douleur, la peine et la misère
qu'on a connus dans ce siècle dolent
pesaient ensemble, ils paraîtraient légers,
face à la mort du jeune roi anglais [32].

Les auteurs de *razos* ont eu l'idée ingénieuse d'associer le souvenir de ces vers à la scène de la reddition de Hautefort. Ils mettent Bertrand de Born en face, non de Richard mais de son père, le vieux roi :

« Le château pris, Sire Bertrand, avec tous ses gens, fut mené au pavillon du roi Henri, et le roi le reçut fort mal : « Bertrand, Bertrand, vous avez dit (allusion à un autre poème) n'avoir jamais eu besoin que de la moitié de votre sens, mais sachez bien que le moment est venu où il vous le faudra tout entier. » – « Seigneur, dit *En* Bertrand, il est vrai que je l'ai dit et c'était bien la vérité. » – Et le roi : « Je crois bien qu'il vous manque aujourd'hui ! » – « Seigneur, je l'ai bien perdu », dit Bertrand. « Et comment? » dit le roi. « Seigneur, dit *En* Bertrand, le jour que le vaillant jeune roi, votre fils, mourut, je perdis le sens et le savoir et la connaissance. » Et le roi, quand il ouït ce que Bertrand lui disait en pleurant de son fils, il lui vint grand douleur au cœur, de pitié, et aux yeux, tant qu'il ne put tenir et se pâma de douleur. Et quand il revint de pâmoison, il s'écria et dit en pleurant : « *En* Bertrand, c'est à bon droit et vous avez bien raison d'avoir perdu le sens pour mon fils, qui vous voulait plus de bien qu'à nul homme du monde. Et moi, par amour pour lui, je vous rends votre personne, vos biens et votre château, et vous rends mon amour et ma faveur, et vous donne cinq cents marcs d'argent pour réparer les dommages que vous avez reçus [33]. » Pour être imaginaire, la scène ne manque pas de pouvoir suggestif. Si les poètes français, ignorants de ces choses, n'en ont pas tiré parti, les romantiques allemands, eux, ont su s'en souvenir, témoin les ballades fameuses de Uhland :

Droben auf dem schroffen Steine raucht in Trümmern Autafort...

ou de Heine :

Ein edler Stolz in allen Zügen...

Nous devions insister sur Bertrand de Born, à la fois pour ses vers et pour les longues *razos* qui les commentent, mais beaucoup d'autres troubadours, moins sensibles peut-être à l'éclat guerrier, se sont intéressés comme lui à la chose politique. Dans leurs *sirventés* (étymologiquement « chant de serviteur », *sirven* : on peut gloser : chant de partisan, de circonstance; le genre regroupe tout ce qui n'est pas chanson d'amour), nous retrouvons l'écho de tous les grands conflits qui ont agité l'Occitanie des XIIe et XIIIe siècles, l'Espagne ou l'Italie voisines. Ainsi, la croisade des Albigeois et la conquête du Languedoc par les Français du Nord; citons au moins quelques vers du *sirventés* fameux de Bernard Sicart de Marvejols :

Ab greu cossire
Fau siventes cozen...

De cruelle angoisse, je fais sirventés cuisant.

Vas on que·m vire,
Aug la corteza gen
Que cridon : « Cyre – »,
Al Frances humilmen.
Merce an li Francey,
Ab que vejo·l conrey,
Que autre dreg no y vey.
Ai! Toloza e Proenza
E la terra d'Argensa,
Bezers e Carcassey.
Que vos vi e que·us vey!

Vers où je me tourne, – j'entends nos gens courtois
dire : « Sire! » – aux Français, humblement.
Oui, pitié ont les Français, – quand ils voient table mise :
Nul autre droit ne leur vois. Ah! Toulouse et Provence,
Beaucaire, – et Béziers, terre de Carcassonne,
qui vous vit et vous voit [34].

J'ai emprunté la transposition du dernier vers (littéralement : Comme je vous vis et vous vois!) à une chanson populaire de la Provence d'aujourd'hui, sur sainte Marie-Madeleine, pleurant sur ses mains déformées par la pénitence :

Ai! bèlo man blanquèto,
Blanco coumo lou lach *, * lait
Fresco coume la roso,
Qu t'a vist e te vei!

Geoffroy Plantagenet
(Émail limousin)

La vie courtoise

Il fallait rappeler et mettre en place tout ce qui vient d'être dit, qui n'est pas cependant le plus neuf, ni le plus intéressant. L'essentiel, avons-nous annoncé, est la transformation profonde qui se manifeste dans les mœurs, l'idéal de vie, de cette classe noble, qui cesse d'être seulement un milieu de guerriers en proie à la seule volonté de puissance. Au cours de la seconde moitié du XIe siècle, disons entre 1060 et 1080, quelque chose s'est passé qui est venu compliquer, enrichir la notion qu'exprimaient les mots de cour, *cortejar* (tenir, visiter, suivre, ou faire la cour), *cortezia*...

Depuis toujours, depuis les origines lointaines, latines ou germaniques, de la féodalité, la vie noble avait été une vie de relations, le seigneur vivant entouré d'un noyau de fidèles, de nobles comme lui et liés à lui par la parenté ou le vasselage, et de tous les serviteurs nécessaires à son, et à leur service, sans qu'il y eût de fossé bien net entre les deux groupes : le service personnel n'est pas considéré comme infamant et l'apprentissage de la vie chevaleresque se fait en remplissant les fonctions de page puis d'écuyer. Mais vers le temps où nous sommes, il semble que ce cadre social tende à s'enfler, à gagner encore en importance, avec une note plus appuyée de faste et de luxe.

On aime à s'entourer d'un plus grand nombre de dépendants; soit un chiffre, pris au hasard : un des arrangements provisoires conclus entre « le jeune roi anglais » et son père Henri II prévoit que celui-ci assurera au fils prodigue, outre une pension pour lui et son épouse, de quoi entretenir, une année durant, *cent* de ses familiers. D'autre part si à notre époque technique l'accroissement du confort se traduit par l'achat d'un ensemble d'appareils ménagers de plus en plus perfectionnés, au Moyen Age il se manifeste par l'emploi d'une domesticité, spécialisée et hiérarchisée, toujours plus fournie : fauconniers, palefreniers, valets de chiens, barbier, tailleur, cuisinier, boulanger, meunier, héraut, courriers,

es ruines du château de Ventadour

secrétaire, chapelain, fou... Le luxe, le goût des vêtements précieux vont croissant : l'éblouissement que fut pour les Latins de la 1re Croisade la révélation des splendeurs byzantines a certainement été un choc psychologique qui a agi en ce sens. Un témoignage symbolique : lorsque à la fin de sa carrière, à tant de points de vue si mouvementée, le vieux comte Guillaume de Poitiers compose une dernière chanson mélancolique et grave, pour dire adieu aux joies, et aux biens, de cette terre, c'est le luxe de la fourrure qui lui sert à les évoquer dans l'envoi final :

Aissi guerpisc joi e deport,
E vair e gris e sembeli.

Adieu maintenant Joie et Plaisirs,
Vair, petit-gris, zibeline... [85]

La richesse n'est pas seulement occasion de jouissances, subjectives : elle remplit une fonction sociale et constitue une source primordiale de prestige. Il est entendu (les troubadours étaient trop intéressés à le répéter : ce motif revient sans cesse dans leurs vers) qu'un grand seigneur se doit de ne pas être avare mais généreux, « large » : si Henri Court-Mantel apparut, ainsi qu'on l'a vu, comme une incarnation de l'idéal princier aux yeux de la noblesse aquitaine, sa prodigalité y fut pour beaucoup. Non sans étonnement, l'historien découvre, à l'intérieur de cette notion complexe de « courtoisie », un équivalent de ce que nos sociologues, après l'avoir observé chez les Indiens de la côte canadienne du Pacifique, ont défini sous le nom de *potlatch* : l'étalage, la distribution, le gaspillage même, de la richesse apparaissent non comme un scandale (ainsi qu'en aurait jugé un siècle bourgeois; même de nos jours les gens sérieux parlent du Midi futile et frivole), mais comme un titre d'honneur, de gloire, une source de prestige.

Le chroniqueur limousin Geoffroi de Vigeois raconte mille extravagances dont aurait été l'occasion la cour tenue à Beaucaire en 1174 par le roi Henri Plantagenet pour fêter la réconciliation du duc de Narbonne avec le roi d'Aragon. Tel seigneur fit labourer un champ par douze paires de bœufs et y semer trente mille écus; un autre fit un feu de joie avec trente chevaux de prix; un troisième, qui menait avec lui trois cents chevaliers, voulut qu'on fît cuire son dîner à la chaleur de flambeaux de cire [36]. Il n'est pas sûr que tout cela ait eu lieu : de Beaucaire à Tarascon, il n'y a que le Rhône à traverser... Mais qu'on l'ait raconté et tenu pour concevable est déjà à soi seul très significatif. Voici encore une anecdote, tout aussi suspecte historiquement, tout aussi caractéristique, où le même chroniqueur met en scène les deux plus anciens troubadours connus, Ebles II de Ventadour et son suzerain le comte-duc Guillaume de Poitiers :

« Ebles s'était rendu très agréable au comte Guillaume par son habileté à tourner la chanson. Un jour, il arrive à la cour de Poitiers, à l'heure du repas. On lui servit un dîner somptueux, mais les préparatifs avaient demandé un certain temps. Le repas fini, Ebles dit au comte : « Il ne fallait pas se mettre en de tels frais pour recevoir un petit vicomte comme moi. » Quelque temps après, Ebles étant rentré chez lui, Guillaume y arrive sur ses talons, précisément à l'heure du dîner, et il entre, sans prévenir, escorté de plus de cent chevaliers. Ebles comprenant que le comte voulait lui jouer un tour, fait sans retard verser de l'eau pour laver les mains. Pendant ce temps on réquisitionnait des vivres auprès de tous les manants des environs, et on les portait en hâte à la cuisine où s'amoncelaient poulets, canards, volailles de toute sorte. Bientôt on servit un festin, digne des noces d'un roi. Vers le soir, voici venir, sans qu'Ebles en sût rien, un manant conduisant un chariot à bœufs, qui s'écrie : « Approchez, chevaliers du comte de Poitiers, et voyez comment on livre la cire à la cour du vicomte mon maître! » Il monte sur le char, armé d'une grande hache de charpentier, et il se met à éventrer les tonneaux : il en tombe quantité de cierges, de la cire la plus fine. Le manant, comme s'il se fût agi d'une marchandise à vil prix, remonte sur son char et s'en retourne tranquillement à Maumont, son village. Guillaume, à ce spectacle, ne tarit pas d'éloges sur la valeur et la courtoisie de son vassal. Plus tard Ebles récompensa le manant en lui donnant, à titre héréditaire, le fief de Maumont [37]. »

Cortejar, c'est aussi visiter la cour de son supérieur ou d'un de ses égaux; tout est prétexte à visites, et celles-ci à fêtes : mariage, adoubement, prestation d'hommage, ambassade et accords. Cette vie de société s'accompagne d'un raffinement, relatif, des manières (nous sortons à peine d'un âge barbare) : d'où le sens qu'a gardé notre mot « courtoisie ». Consultons les manuels du parfait amant qu'ont rédigé, en latin, André le Chapelain vers 1186, en langue d'Oc (et 34 597 vers de mirliton) un siècle plus tard (1288-1290), le bon frère mineur Matfre (c'est Manfred) Ermengau de Béziers. Le premier nous explique, d'un ton sentencieux (on voit qu'il écrit à la cour de Champagne et qu'il s'agit de décrasser ces Français du Nord : on croit entendre Stendhal expliquer gravement aux Parisiens l'usage de Milan) : « C'est une règle absolue : on ne s'assied pas à côté d'une dame de son rang sans lui en avoir d'abord demandé la permission »; et sa XIe règle d'amour : « Être en tout urbain et courtois. » De son côté, frère Matfre insiste sur la nécessité des bonnes manières : il faut être *ensenhat*, « bien élevé » dirions-nous en français : tout y passe, du soin qu'on apportera à avoir le chef bien peigné jusqu'au choix des chaussures, ou à la façon de se tenir à table : « Garde-toi, si m'en crois, de corrompre ton haleine de nulle mauvaise viande » (On dirait une réclame pour dentifrice!)...

Critère majeur d'un tel raffinement : la place, croissante, qu'occupe dans ce milieu, la femme, la délicatesse, l'honneur dont elle est entourée : phénomène tout nouveau qui va permettre l'épanouissement de ce style de relations intersexuelles qui s'appelle l'amour courtois. L'amour est en effet, avec le goût des choses de l'esprit tel qu'il s'incarne dans l'art des troubadours, la manifestation la plus originale de cette révolution des mœurs.

Celle-ci s'est accomplie d'abord dans la France du Midi; c'est un fait. Quand les troubadours des premières générations montaient dans le Nord, ils s'y sentaient dépaysés. Ainsi Bertrand de Born qui accompagna pendant l'hiver 1182-

1183 son maître Richard Cœur de Lion à Argentan où se trouvaient réfugiés la sœur de celui-ci, Maheut, et son mari le duc de Saxe :

Jamais non er cortz complia
Ont om no gab ni no ria :
Cortz sens dos
Non es mas parcs de baros.
E agra'm mort sens falhia
L'enois e la vilania
D'Argentos

Jamais ne sera cour accomplie
celle où on ne joue ni ne rie.
Cour sans dons – n'est que parc à barons.
L'ennui et la vilenie, – d'Argentan
m'auraient tué sans faute [38]

sans, ajoute galamment le poète, la beauté et le charme, *e la bona companhia* de la fille d'Aliénor d'Aquitaine, *la Saissa*, « la Saxonne ». Nous pourrons suivre et dater avec précision l'assimilation progressive de l'idéal courtois dans les pays du Nord, d'Espagne ou d'Italie. Pourquoi le Midi d'abord? On n'a jamais répondu sérieusement à la question, sinon par des platitudes, sur la douceur du climat, l'éclat du soleil ou la chaleur du sang. Mieux vaut avouer que l'explication historique laisse toujours un résidu : l'Esprit souffle où il veut...

(Coffret de mariage) ▶

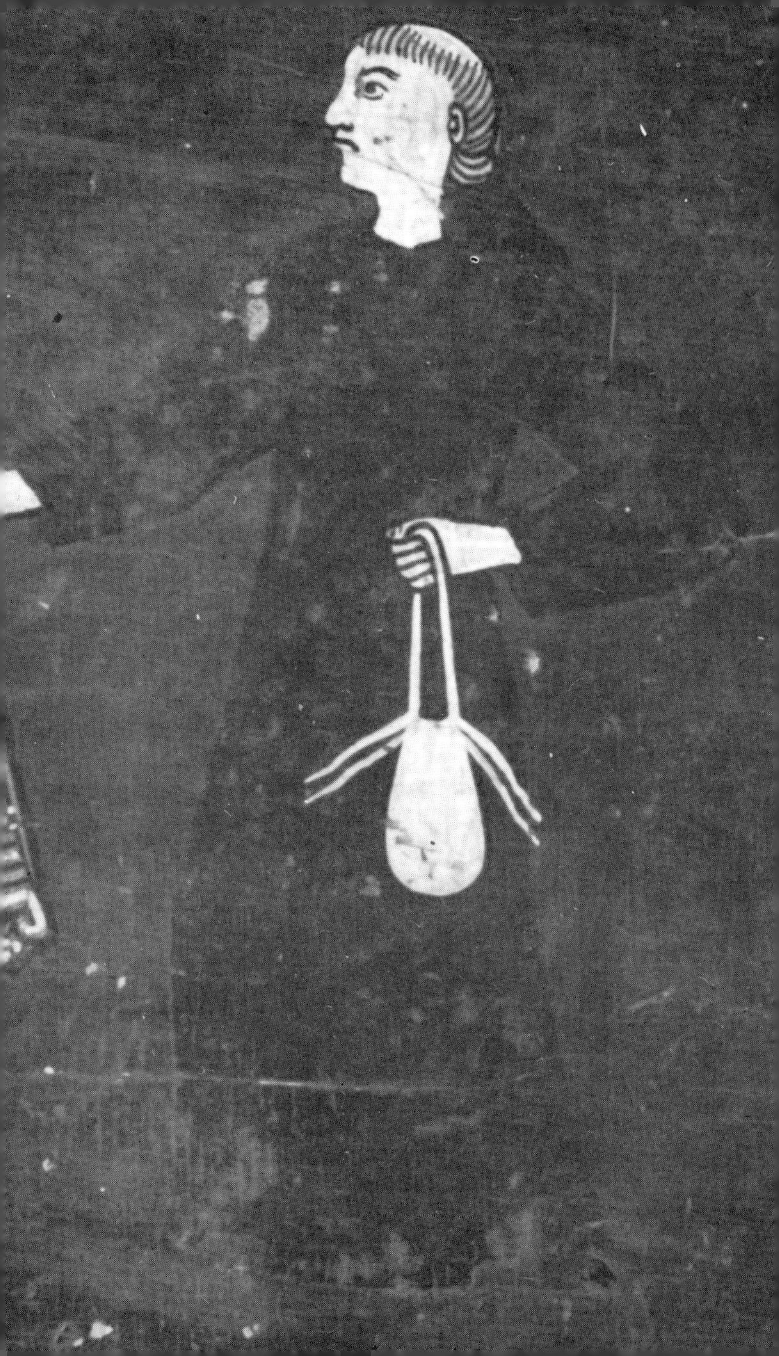

Scènes galantes
(Peigne du XIVe siècle)

La poésie des troubadours

Nos troubadours utilisent une langue que les Catalans ont appelée « limousin » et les Italiens « provençal » (eux-mêmes la qualifient simplement de *romana*, mais c'est au sens de langue vulgaire, pour l'opposer au latin et non aux autres dialectes vivants issus de celui-ci) : c'est une langue littéraire qui s'est imposée à tous, de quelque région du domaine d'Oc qu'ils fussent issus : même des Gascons comme Cercamon ou Marcabrun l'utilisent, sans qu'on puisse relever chez eux de souvenirs bien nets de leur dialecte natal, si différencié comme on sait (en gascon *flor*, *val* deviennent *hlor*, *bat*); elle a été aussi adoptée, telle quelle, par les troubadours originaires de Catalogne (il est vrai que jusqu'au XIIIe siècle le catalan ne se distinguait guère de la langue d'Oc) ou d'Italie du Nord.

Langue commune, aux traits dialectaux peu marqués, ou contradictoires : de fait, et surtout pour enrichir leur répertoire de rimes, les troubadours ont utilisé avec éclectisme des formes diverses; *tener* ou *tenir*, *fe* ou *fei* (la « foi »); « je fais » s'écrit tour à tour *fatz*, *fas*, *fau*, *fauc*. A la différence d'autres langues littéraires qui possèdent une définition géographique (l'italien est le parler de Florence, le français celui de Paris), l'occitan des troubadours se laisse moins localiser : on en a cherché tour à tour l'origine dans le Limousin ou le Languedoc mais les arguments, pour ou contre, qu'on devine inspirés par l'esprit de clocher, ne paraissent pas bien convaincants.

L'hypothèse limousine aurait du moins l'avantage d'attirer l'attention sur un fait important : l'apparition de la poésie *trobadoresca* est, comme il est arrivé souvent dans l'histoire de la culture, un phénomène de marche-frontière. Les premiers grands troubadours ne sont pas nés au cœur du pays d'Oc, si tant est que cette aire linguistique étalée *dis Aup i Pirenèu* ait jamais eu un centre (que les Toulousains me pardonnent!), mais bien le long de sa bordure nord-ouest, d'Ussel à Blaye en passant par les environs d'Uzerche, Excideuil et Mareuil, une fois mis à part les jongleurs d'origine, itinérants par vocation ou ceux qui Poitevin ou Saintongeois comme Guillaume IX ou Rigaud de Barbezieux se placent au-delà de la limite linguistique, telle qu'elle a été observée au XIXe siècle (mais elle ne paraît pas avoir beaucoup varié dans cette région). Le Limousin et le Périgord (ou si l'on préfère nos deux départements de la Corrèze et de la Dordogne), voilà le berceau d'où l'art des troubadours rayonna ensuite sur le Languedoc, l'Auvergne et la Provence, et au-delà. La chose n'est pas sans importance : on parle trop souvent du « Midi », de façon vague; la composition de lieu demande quelque effort supplémentaire de précision, suivant les cas : à l'arrière-plan du lyrisme des poètes de Ventadour, par exemple, il faut évoquer les horizons immenses du plateau limousin, ces landes coupées de bois, parsemées d'eaux ruisselantes et que balaient les rafales du vent d'ouest.

Telle qu'ils l'ont maniée, c'était une belle langue, sonore et douce, encore un peu archaïque peut-être dans l'expression des relations logiques : un simple *que* – ou *com*, *car* – ou *quan*, suffit à rendre bien des nuances; nous sommes encore loin de l'italien de Dante et de son redoutable *conciossiaché* (la scolastique aura passé par là!). Débarrassons-nous ici aussi des clichés traditionnels, celui par exemple de la faconde méridionale, synonyme d'emphase oratoire et volubile. Le style des troubadours est au contraire d'une extraordinaire densité : leur langue se condense en monosyllabes – ainsi Gaucelme Faidit dans le *planh* qu'il a consacré au roi Richard Cœur de Lion (mort comme on sait au siège du château de Châlus en Limousin) :

Mortz es lo reys e son passat mil an
Qu'anc tan pros om no fo ni no'l vi res...

Mort est le roi, le plus vaillant que la terre
ait eu depuis mille ans, ou que j'aie jamais vu [39].

Et quelle virtuosité dans l'emploi des ressources du vers, de la rime, de la construction des strophes! Ouvrons le gros recueil des *Leys d'Amor* (titre trompeur : il ne s'agit pas d'un code d'érotique mais d'un pesant et pédant traité de grammaire promulgué par le Consistoire toulousain du Gai Savoir en 1356) : nous y trouverons défini, avec exemples à l'appui, 39 espèces de rimes et 72 types de strophes; nous apprendrons ainsi à distinguer les *coblas capfinidas* (où le mot qui termine un vers est repris au début du suivant), *capdenals* (où tous les vers commencent par le même mot), *recordativas* (le même mot est répété au début et à la fin du vers, ou le même vers au début et à la fin de chaque strophe), *retronchadas* (le même mot-rime, comme *lavador* dans la chanson de croisade de Marcabrun, ou le même vers réapparaissent, de strophe en strophe, à la même place) [40]. Il y a là un vocabulaire technique original comme l'Occident n'en avait pas créé depuis les beaux temps de la rhétorique grecque, entre Gorgias et Aristote! Et encore, si complexe qu'en soit la terminologie, les *Leys d'Amor* nous laissent loin du compte : un philologue allemand avait recensé 817 types de strophes utilisées par les troubadours; un de ses successeurs, hongrois d'origine celui-ci, a catalogué (si j'ai bien compté) très exactement 1 001 formules de rimes et 1 422 formules syllabiques, variété extraordinaire si on songe que nous ne possédons guère au total que 2 700 pièces lyriques de ces mêmes poètes.

On trouve de tout : Pierre de Corbiac aligne 840 vers sur la même rime, Cerveri de Girone a une strophe de 28 vers monosyllabiques (il s'agit à la vérité de dissyllabes, mais la finale, atone, ne compte pas). On trouve bien d'autres combinaisons associant avec une infinie subtilité le rythme des vers ou le choix des rimes. Arnaud Daniel s'est illustré en créant le genre, qu'imiteront les Italiens, de la *sestina*, dans sa pièce *Lo ferm voler qu'el cor m'intra* : six strophes de six vers, se terminant chacun par un mot-rime de sonorité rare (c'est ce qu'on appelle *rim estramp cara*) qui réapparaissent dans les strophes suivantes en obéissant à une loi de permutation rigoureuse et complexe (elle renchérit sur la définition de la *cobla capcaudada*) : « La succession des rimes dans une strophe, par rapport à la précédente, peut être exprimée par le schéma : 6, 1, 5, 2, 4, 3. » Le poète

Encouragement au lecteur

On ne peut se résoudre à traiter tout à fait la langue des troubadours ni comme une langue morte, ni comme une langue étrangère. D'abord parce que nous sommes quinze ou vingt millions de Français pour qui un dialecte d'Oc est, sinon la langue maternelle, du moins un substrat linguistique tout proche, prêt à affleurer : Albert Thibaudet avait remarqué que les seuls vers de Jules Romains, né Farigoule, qui ne fussent ni rocailleux ni prosaïques étaient ceux qui, par rencontre, se laissaient transposer exactement, syllabe pour syllabe, en auvergnat.

Pour les autres, l'obstacle ne sera pas insurmontable, s'ils veulent bien se souvenir d'un peu de latin, d'italien ou d'espagnol. Aussi ne nous sommes-nous pas astreints à des traductions à proprement parler, mais, suivant l'exemple donné au XIIIe siècle par le futur roi Charles d'Anjou (dans le « Chansonnier du Roi ») et plus près de nous par Ch. Alb. Cingria, nous nous sommes le plus souvent risqués à des transpositions littérales afin de sauvegarder, fût-ce au prix de quelque artifice, un peu du rythme et de la densité de l'original.

Un minimum d'indications doivent suffire à orienter le lecteur :

1. L'essentiel est de bien placer l'accent tonique : un nom comme *Pistoleta* rime à peu près avec « gargoulette » et non, comme le français le suggère, avec « l'état ».

2. L'orthographe de nos éditions critiques, qui reproduisent jusqu'aux cacographies du manuscrit de base, est assez flottante. On observera que la lettre *o* note indistinctement soit le *o* (très) ouvert – si caractéristique encore de l'*assènt* méridional –, soit un son fermé qui, dès les XIIe-XIIIe siècles, devait, comme dans l'occitan moderne, avoir le son du *ou* français : *mort*, *cors* (« corps») se prononcent comme les mots français correspondants, par contre dans *amor*, *flor*, *dolor*, *o* = ou.

Dans les diphtongues (ou tri–), *–u* ou *–i* final ont la valeur d'une semi-consonne, *w* anglais ou *Jot* allemand; les groupes *–nh* – ou *lh–* correspondent au « gn » ou aux « ll » mouillés français.

3. Comme l'ancien français, la langue des troubadours possédait une déclinaison à deux cas, c. sujet et c. régime, marqués par la présence, ou l'absence d'un *–s* final, suivant qu'il s'agit du singulier ou du pluriel (et de façon différente pour le féminin); pour les mots imparisyllabiques en latin, par l'alternance des formes comme *trobaire-trobador*, *Ebles-Eblo(n)*.

4. Le *–n* final, provenant d'un *–n–* intervocalique latin, tombe dans la plupart des cas : *panem* donne *pa* (provençal, rhodanien, moderne : *pan*, français: « pain »); rationem, *razo* (prov. mod. : *resoun*; franç. : « raison »).

5. Comme en latin ou en italien, le pronom personnel sujet ne s'exprime pas, sauf désir d'insister, devant le verbe : *am*, « j'aime », *anatz*, « vous allez ».

6. On rencontre beaucoup de formes contractées ou élidées. L'article s'unit à diverses propositions : *a*, *de*, comme en français, mais aussi : *per* (« pour »), *vers*, *sus* (« sur »), d'où des formes comme *del*, *al*, *pel*, *vel*, *sul* (sing., *–s* au pl.), ou « s'appuie » sur le mot précédent si celui-ci est terminé par une voyelle : *no·l* = *non lo* (« ne le »), *e·lh* (« et les »). De même les pronoms personnels : *no·ns ve* (« il ne nous voit pas ») *no·ns* = *no(n) nos*, *qu'ie·s dic*, « ce que je vous dis, moi » : *ie·s* = *ieu vos*.

se donnant au surplus le luxe de récapituler ces six mots à la fin des trois vers de la *tornada* ou envoi :

> *Arnautz tramet sa chanson d'*ongla *e d'*oncle,
> *A grat de lieis que de sa* verg'a *l'*arma,
> *Son Dezirat, cui prets en* cambra intra.

> Arnauld envoie sa chanson sur l'*ongle* et l'*oncle*,
> pour complaire à la cruelle qui de sa *verge* à l'*âme*,
> à son ami Désiré (sans doute Bertrand de Born) dont
> la gloire en toute *chambre entre* [41].

Une élaboration aussi complexe n'a pas manqué d'inquiéter les modernes et de faire naître des doutes sur la sincérité, le sérieux, des sentiments exprimés. Mais, à lire certains critiques, on se demande si aucune forme d'expression trouverait grâce à leurs yeux, à part l'écriture automatique des premiers surréalistes! Il conviendrait d'effectuer, en ce qui concerne les troubadours, le même redressement que la philologie classique vient, enfin, de réaliser à propos de l'emploi de la rhétorique par les Grecs ou les Latins : s'étonner qu'un maître du verbe utilise comme en se jouant un certain répertoire de procédés formels est le fait d'un barbare; ce qui est une preuve d'art ne l'est pas nécessairement d'artifice.

Ce qui a surtout déconcerté est que toute une lignée de troubadours (la tendance se fait jour dès la seconde génération avec Marcabrun – personnalité complexe qu'il n'est pas facile de résumer dans une étiquette : « ce misogyne », ce « réaliste brutal » a été aussi un chantre de l'amour sublimé, *la fin'amors*) a délibérément choisi de s'exprimer sous une forme recherchée et difficile : au *trobar plan*, au style simple et clair, ils ont préféré le *trobar clus*, littéralement le style « clos » – obscur, abscons, abstrus, hermétique – en prenant le mot au sens commun qu'il a aujourd'hui. Il ne s'agit pas en effet d'hermétisme au sens propre, d'une poésie ésotérique qui, sous un sens premier obvie, dissimulerait une doctrine secrète : nous ne sommes en présence que d'une expression volontairement compliquée dont l'énigme s'éclaire, pour peu qu'on fasse effort et nous retombons alors dans le répertoire des idées ou des sentiments habituels à la chanson d'amour.

Il ne s'agit pas non plus de l'obscurité qu'on rencontre souvent dans la poésie moderne et qui reflète l'obscurité essentielle de l'intuition même du poète : non, le *trobar clus*, et sa variante ou héritière, le *trobar ric*, le style « artiste », relèvent d'une esthétique de type mallarméen (tel que les recherches d'H. Mondor nous ont appris à le définir) et non à la Rimbaud : l'obscurité y est volontairement, laborieusement, acquise et sert à revêtir d'ornements splendides ou inattendus une proposition qu'on pourrait par ailleurs exprimer en toute clarté. « Ce que l'on conçoit bien s'énonce obscurément », pourrait-on dire en parodiant Boileau. Le terme technique est en langue d'Oc *entrebescar los motz*, littéralement « entrelacer, enchevêtrer, emmêler », ne disons pas, puisque le mot serait en français péjoratif, « entortiller l'expression ». Ainsi Raimbaud d'Orange, un des grands spécialistes de ce style artiste :

Cars bruns e teinz mots entrebesc
Pensius pensanz.

Pensivement pensif,
j'entrelace des mots rares, sombres et colorés [42].

Mais le meilleur représentant du genre reste Arnaud Daniel de Ribérac, auquel Dante a rendu un solennel hommage au chant XXVI du *Purgatoire*. On sait que le poète florentin a poussé la coquetterie jusqu'au pastiche et le fait parler en provençal, montrant par là qu'il eût pu, s'il l'avait voulu, écrire dans la langue même des troubadours, comme l'avaient fait ses prédécesseurs lombards :

Tan m'abellis vostre cortes deman
qu'ieu no me puesc ni voill a vos cobrire :
Ieu sui Arnautz que plor e vau cantan...

Tant me complaît votre courtois désir
que je ne me puis ni ne veux vous cacher :
Je suis Arnaud qui pleure et vais chantant...

Pastiche, car le chevalier de Ribérac aimait à se définir par de telles antithèses paradoxales, ainsi dans ces vers, que Pétrarque imitera à son tour :

Ieu sui Arnautz qu'amas l'aura
E chatz la lebre ab le bou
E nadi contra suberna.

Je suis Arnauld qui attrape le vent,
chasse le lièvre avec un bœuf
et nage contre marée montante [43].

Dante le proclame « le meilleur artisan de sa langue maternelle » :

Fu miglior fabbro del parlar materno.

Plutôt que « forgeron », observait Jeanroy, il faut traduire par « ciseleur » : c'est l'image qu'Arnaud, d'ailleurs, emploie lui-même pour caractériser son art :

En cest sonet coind'e leri
Fauc motz e capuig e doli,
E serant verai e cert
Quand n'aurai passat la lima.

Sur cet air gracieux et gai,
je fais des vers au rabot et à la doloire,
ils seront exacts et sûrs
une fois passés à la lime [44].

Il s'agit en effet d'un style aux mots recherchés, quelquefois forgés, pour la rime, au moyen de suffixes inattendus. Paradoxalement, c'est dans l'œuvre même du seul Guiraud de Bourneil que nous trouvons réunies la théorie et la pratique des deux formes de trobar, *clus* et *plan*. Il a d'abord connu et défendu le premier :

Que sens eschartatz
Adui pretz e'l dona
Si com l'ochaizona
No-sens eslaissatz;
Mais be cre
Que ges chans, ancse,
No val al comensamen
Tan com pois, can om l'enten.

Car sens recherché – apporte Valeur et la donne
à proportion qu'on lui reproche – non-sens débridé;
mais je crois bien – que nul chant, jamais, –
ne vaut au commencement, – autant qu'ensuite quand on l'entend [45].

Il faut peut-être gloser (car cet éloge du *trobar clus* est lui-même obscur) : « Mon avis est que le meilleur chant est celui qu'on ne comprend pas du premier coup. » Plus tard au contraire, Guiraud prit le parti du style clair, notamment dans un débat qui l'opposa à un troubadour qu'il désigne du pseudonyme de « Seigneur Linhaure » – c'est probablement Raimbaud d'Orange lui-même :

Era'm platz, Girauts de Borneilh,
Que sapcha per qu'anatz blasman
Trobar clus...

Maintenant, j'aimerais bien savoir, Guiraud,
pourquoi vous allez, blâmant le style clos... [46]

Conversion d'ailleurs laborieuse : ce n'est pas sans peine que Guiraud s'efforcera d'écrire « vers léger » ou *chansoneta plana*; avant Boileau ou Racine, le *maestre dels trobadors* découvrit que le sommet de l'art est de faire difficilement des vers faciles :

Qu'eu cuid qu'atretan grans sens
Es, qui sap razo gardar,
Com los motz entrebeschar.

Pour moi, j'estime qu'il faut autant de sens
pour raison garder que pour les mots mêler [47].

Raimbaud d'Orange

Gui d'Ussel

Cercamon

Pierre Cardenal

Arnaud Daniel

Marcabrun

Rigaud de Barbezieux et sa dame

Pierre Vidal

folquet de marseilla.

Bernautz de uentadorn.

Bertrand de Born

La musique des troubadours

Ces poètes ont été aussi des musiciens; il faut bien le dire, puisqu'on l'a souvent oublié : j'admire la tranquille conscience de ces graves érudits qui ont consacré des années, de gros volumes, à la poésie lyrique des troubadours sans accorder d'attention à leur musique, comme si l'incompétence était une excuse (on pense à ces vieux moines, qui nous ont recopié les classiques latins en omettant, tout simplement, les citations grecques : *Græcum est non legitur!*) Oui, cette poésie est « lyrique », au sens plénier du mot : faite pour être chantée, avec accompagnement d'instruments – et non pas seulement pour être écrite, imprimée, lue, tout au plus récitée, comme l'usage s'en est établi chez nous depuis Malherbe (quel symbole de la décoloration classique, de l'ascèse puritaine qu'a été le classicisme).

L'art des troubadours se développe sur ces deux plans conjoints, paroles et mélodie, *motz e son* : « Bernard de Ventadour, nous disent ses biographes, sut bien chanter et trouver... Il était habile à trouver belles paroles et gaies mélodies », *aveia sotilessa et art de trobar bos motz e gais sons* [48]. Si, des deux éléments, l'un devait primer l'autre, ce serait plutôt la musique, puisqu'on nous rapporte, de tel ou tel, Geoffroy Rudel ou Albertet de Sisteron, que leurs chansons furent célèbres par la beauté de leurs airs, bien que leurs vers n'eussent que peu de valeur, *chansons que agron bons sons e motz de pauca valensa* [49].

De l'intérêt, de l'importance que le public médiéval attachait à cette musique témoignent assez nos manuscrits : ainsi le chansonnier *W* (B.N. f.fr. 844), l'admirable « chansonnier du Roi », copié dans les années 1254-1270 pour le frère de saint Louis, Charles d'Anjou, comte de Provence et fondateur de la dynastie des rois angevins de Naples, un prince de langue française (les vers occitans y sont traduits, ou plutôt transcrits, presque mot pour mot, dans une langue artificielle qui s'efforce d'être du français); quoique mutilé, il conserve quarante-deux mélodies de troubadours; pour dix-neuf d'entre elles, le copiste, sans doute fatigué, n'a transcrit, sous le chant noté, que les paroles du premier couplet : ce qui prouve bien que c'est avant tout comme œuvre musicale que la chanson l'intéressait.

Certaines de ces pièces avaient à cette date plus d'un siècle d'existence. On connaît des mélodies qui ont été célèbres pendant plus de temps encore : un mystère de la seconde moitié du XIVe siècle, le *Jeu de sainte Agnès* utilise encore (sans oublier leur origine, puisqu'ils sont désignés par leur « timbre ») deux airs classiques, celui de l'*alba* : *Reis glorios* de Guiraud de Bourneil (avant 1220), celui du *Congé* déjà cité de Guillaume IX : *Pos de chantar...* (av. 1127) :

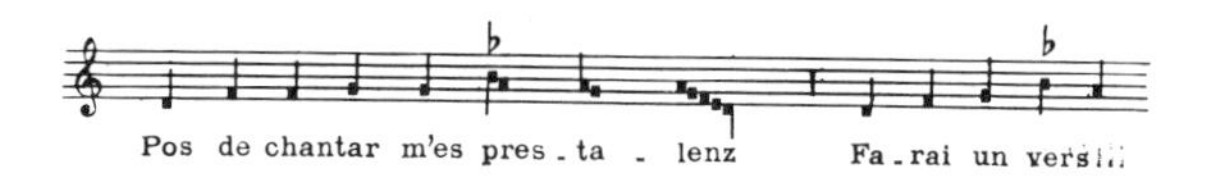

Leur diffusion dans l'espace n'a pas été moindre : des recherches récentes ont montré, par exemple, que certaines mélodies de Bernard de Ventadour, de Pierre Vidal ou Fouquet de Marseille, avaient été réutilisées par les Minnesänger Friedrich von Hausen et Rudolf von Fenis-Neuchâtel; la célèbre chanson de croisade de Volgelweide reproduit, avec quelques simplifications l'admirable *Lanquan li jorn* de G. Rudel. On voit de quel respect étaient entourées ces œuvres délicates et fragiles, qu'une notation au surplus, comme on va voir, imparfaite, rendait pourtant bien difficiles à conserver et à transmettre.

Nous possédons deux cent soixante-quatre mélodies de troubadours, soit pour un dixième environ des poésies conservées, ce qui peut paraître assez peu, surtout comparées aux quelque deux mille qui nous restent des trouvères du Nord, mais il s'agit d'une anthologie de chefs-d'œuvre, sélectionnés par une longue tradition. Chose curieuse, les airs que nous retrouvons dans nos manuscrits sont ceux-là mêmes que nous souhaitions posséder. D'un seul troubadour nous possédons la masse respectable de dix-huit mélodies, et c'est du grand Bernard de Ventadour. Parmi elles, une seule est attestée par quatre manuscrits (l'un d'ailleurs la montre reprise pour une chanson française : comme les Minnesänger, les trouvères savaient pratiquer l'emprunt), et c'est la fameuse pièce

Quan vei la lauzeta mover
Sas alas,

le chef-d'œuvre incontesté de la lyrique occitane, déjà aussi célèbre dans la France du XIIIe siècle qu'elle l'est parmi nous, puisqu'on la voit citée dans *Guillaume de Dole* et dans le *Roman de la Violette*, où Gérars chante pour Aiglentine « cest son poitevin : Quand voi la loëte moder... » De la comtesse de Die, la plus célèbre des *trobairitz* ou poétesses, nous n'avons conservé qu'une mélodie (grâce, encore, au bon goût de Charles d'Anjou), mais c'est l'admirable *A chantar m'er*, qui contient quelques-uns des plus beaux vers de la langue provençale et ces beaux cris d'amour dédaigné qui font de la comtesse l'égale d'une Louise Labbé ou d'une Marceline :

A chantar m'er de so qu'eu no volria,
Tant me rancur de lui cui sui amia;
Car eu l'am mais que nuilla ren que sia.
Vas lui no·m val merces ni cortezia,
Ni ma beltatz, ni mos pretz, ni mos sens ;
C'atressi·m sui enganad' e trahia
Com degr'esser, s'eu fos dezavinens.

Je dois chanter de ce que ne voudrais,
tant ai rancœur de lui dont suis l'amie :
moi, je l'aime plus que nulle chose au monde;
vers lui ne me vaut pitié ni courtoisie,
ni ma beauté, ni mon prix, ni mon sens :
tout ainsi je me vois trompée et trahie,
comme je devrais l'être si j'étais laide à voir.

Et plus loin :

E membre vos cals fo·l comensamens
De nostr'amor! Ja Damnedeus non voilla
Qu'en ma colpa sia·l departimens!...

Souviens-toi quel fut le commencement
de notre amour. Qu'au Seigneur Dieu ne plaise
que de ma faute vienne l'affreux dénouement!

C'una non sai, loinhdana ni vezina,
Si vol amar, vas vos ne si'aclina.
Mas vos, amics, etz ben tant conoissens,
Que ben devetz conoisser la plus fina,
E membre vos de nostres partimens!

Je ne sais pas de femme, lointaine ou voisine,
voulant aimer, qui vers vous ne s'incline,
mais vous, ami, êtes si connaisseur
que bien devez connaître la plus fine, –
et souviens-toi ce que fut notre adieu [50]!

Au lecteur de la sorte alléché, il faut bien avouer maintenant que si la musique des troubadours n'est pas tout à fait pour nous un livre scellé, c'est un livre qui n'est qu'à peine entr'ouvert et qu'un petit nombre parmi les doctes peut se flatter de savoir déchiffrer. J'ai scrupule ici à dévoiler les difficultés au milieu desquelles se débattent les techniciens : la lyrique médiévale n'est pas seule à être un *trobar clus*, notre érudition scientifique en est un autre! Ces difficultés proviennent de l'insuffisance du système de notation employé : à part quelques rarissimes exceptions (quelques additions d'une main plus récente, par exemple, dans le chansonnier *W*), nos mélodies n'ont pas été transcrites dans la notation mesurée, susceptible d'une interprétation rythmique rigoureuse qui, élaborée au cours du XIIIe siècle, deviendra d'un usage général à la fin du Moyen Age. Les manuscrits de troubadours n'utilisent normalement que les « notes carrées », les mêmes qui servent pour le chant grégorien (et l'on sait que la restauration de celui-ci pose aussi bien des problèmes) : indiquant avec assez de précision la hauteur des sons, ces neumes nous laissent dans la plus complète incertitude en ce qui concerne les durées.

Rétablir celles-ci constitue un problème délicat : aucun des systèmes proposés pour le résoudre ne donne absolument satisfaction, même celui des « modes rythmiques » que F. Ludwig et P. Aubry avaient dégagé des théoriciens de la fin du XIIIe siècle, Jean de Garlande ou Jean de Grouchy, et dont J. Beck s'est fait le plus actif propagandiste. Peut-être est-ce seulement parce qu'on l'a d'abord appliqué de façon beaucoup trop rigide? Ces dernières années, d'autres systèmes ont été proposés, venant d'Italie, d'Allemagne, et même d'Argentine, sans réussir, semble-t-il, à s'imposer. Peut-être faudrait-il pouvoir distinguer différentes époques non seulement dans l'histoire de l'écriture musicale, mais aussi et d'abord dans le style même de nos troubadours qui ont pu pratiquer successivement, et parfois concurremment, différents systèmes rythmiques. En attendant c'est peut-être encore la théorie modale, quelque peu assouplie et nuancée, qui reste la moins aventureuse.

A y regarder de près, on se rend compte que nos musicologues souffrent moins de l'incertitude des principes que chacun pose à la base de son système que de la peine qu'ils ont à conduire jusqu'au bout l'application de ces principes. Le point le plus délicat est l'interprétation des « ligatures », groupes de notes à chanter sur la même syllabe et doués d'une certaine unité. Cependant l'amateur patient, qui ne se laisse pas rebuter dès le premier essai, s'il applique successivement à un texte donné les différentes solutions possibles, ne tarde pas à s'apercevoir qu'elles convergent en somme vers un même effet expressif : pratiquement, quelles que soient leurs divergences matérielles dans le détail de la transcription, tous les spécialistes en arrivent à conseiller un même style d'interprétation.

Tous nous disent en présence du caractère souvent très orné de la ligne mélodique qu'il faut renoncer à y introduire un rythme rigoureux, métronomique, tel que celui de notre solfège classique, avec ses barres de mesure et l'alternance rigide des temps forts et des temps faibles : il convient de donner à ces mélodies un mouvement souple et fluide, en *tempo rubato.*

Deux caractères frappent d'emblée l'amateur d'aujourd'hui et définissent l'originalité des troubadours non seulement par rapport à notre musique moderne, mais déjà en face de celle de leurs contemporains ou successeurs immédiats, les trouvères de la France du Nord. On trouve fréquemment chez ces derniers des mélodies d'une allure franche et simple, au rythme iambique régulier (le 6/8 cher à notre folklore) et, pour tout dire, d'un style déjà « populaire ». On sait qu'à leur sujet se pose déjà l'inextricable problème : où est l'imitation, la source ou le pastiche? Ces airs de trouvères sont si proches de notre chanson populaire qu'on voudrait savoir si elles en sont l'origine, ou déjà un reflet. La chose a été souvent discutée à propos, par exemple, des mélodies du *Jeu de Robin et Marion*; elle se pose à tout instant : ainsi, l' « air populaire » sur lequel le poète paysan Charloun Rieu a composé *l'Amourouso dóu Bouscatié*, air qui en effet appartient bien au répertoire de notre folklore (on le signale dans des chansons de quête pour le Nouvel An, en Bretagne et ailleurs), a pour auteur, ou du moins pour premier témoin, le plus aristocratique des trouvères, Thibaut de Champagne, roi de Navarre :

> *L'autrier par la matinée,*
> *Entre un bois et un vergier...*

En règle générale, chez nos troubadours, rien de tel. L'exception étant représentée, par exemple, par la pastourelle de Marcabrun, le premier exemple connu d'un genre promis à une longue fortune, pièce où visiblement le poète a cherché à « faire peuple », pour le plus grand plaisir de son auditoire raffiné, et cela par le style de sa mélodie autant que par le ton de ce dialogue avec une bergère :

> *L'autrier jost'una sebissa*
> *Trobei pastora mestissa,*
> *De joi e de sen massissa,*
> *Si cum filha de vilana,*
> *Cap'e gonel' e pelissa,*
> *Vest e camiza treslissa,*
> *Sotlars e caussas de lana...*

L'autr'hier, le long d'une haie, – trouvai pastoure metisse, – de joie et bon sens massive; – en fille de vilaine – cape, gonelle et pelisse, – portait, et chemise en tricot, – gros souliers et chausses de laine... [51]

De nos deux caractères le premier, qui a été souvent observé, est le ton hiératique de nos mélodies, dont la tonalité, le style, disons de façon générale l'atmosphère, manifestent une parenté étroite avec le chant liturgique, ou semiliturgique (celui des tropes ou *versus*) de l'Église latine. Ces traits qu'on relève de génération en génération, de Guillaume IX à Guiraud Riquier, sont particulièrement saillants chez les premiers troubadours : J. Chailley a pu mettre en parallèle les mélodies conservées, de Guillaume IX ou de Marcabrun, avec celles de tel ou tel des *versus* religieux qu'il a recueillis dans les manuscrits provenant de Saint-Martial de Limoges. Beaucoup de mélodies, dans l'ensemble de style récitatif, sont introduites par un saut de quinte, trait bien grégorien (il marque nettement le mode). Des souvenirs du répertoire liturgique se retrouvent encore chez les maîtres de la période classique : J. Beck a noté que, dans *Quan vei la lauzeta mover...*, Bernard de Ventadour a utilisé des motifs tirés de l'office *de Beata Maria*, à commencer, au premier vers, par le *Kyrie eleison*.

Le second caractère est la fréquente luxuriance de la ligne mélodique. Celle-ci cesse assez vite d'être syllabique pour se fleurir, notamment à la rime, de mille ornements sinueux : ce ne sont que mélismes, paquets de notes d'agrément, ports de voix, appogiatures expressives, gruppetti, traits et dessins variés, qui évoquent à première vue les cadences ornées de nos points d'orgue. Voyez par exemple, tel que le donne le chansonnier *X* le début d'une chanson de Pierre d'Auvergne qui fut saluée en son temps comme un chef-d'œuvre *(les meillors sons de vers que anc fosson fach* [52]*)* :

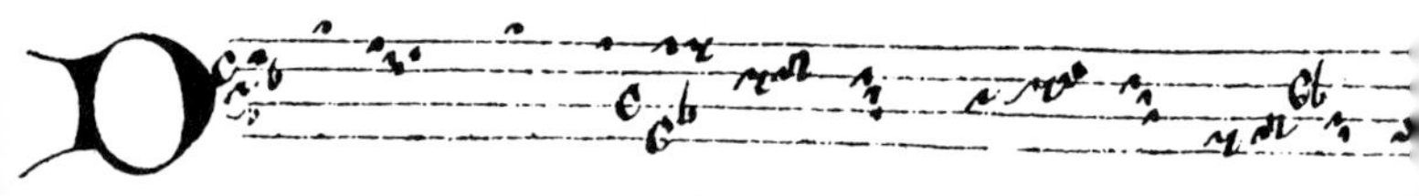

De josta'ls breus jorns e'ls loncs sers
Quan la blanc'aura brunezis...

Par les jours brefs et les longues soirées
quand l'air clair s'embrunit...

On réalise que, dans ces conditions, il ne peut être question d'un rythme strict; que dis-je! ce *glissando* s'attaque même aux rapports de hauteur entre les sons : le théoricien Jean de Grouchy nous avertit qu'il n'est pas question d'astreindre ces mélodies profanes à des intervalles de tons et demi-tons rigoureusement calibrés... Il est difficile de proposer au lecteur des rapprochements significatifs avec notre musique moderne : je ne citerai que pour mémoire le pastiche, amusant, sans plus, auquel s'est essayé G. Migot dans son *Hommage à Thibaut de Champagne* (Cinq monodies sur des poèmes de Tristan Klingsor, 1924); on pourra penser au *iubilus* des versets alléluiatiques du chant grégorien, ou mieux peut-être à certaines formes du folklore méditerranéen, aux chants de bergers en Sardaigne, ou à ces complaintes siciliennes chères à Lanza del Vasto.

Mélisme complexe, lent, sinueux, tel est l'art des troubadours, un art raffiné, savant, élaboré, d'une hautaine insolence. Leur musique est celle qu'on pouvait supposer, connaissant leurs vers, chez les maîtres du *trobar clus*. Il serait naïf d'imaginer que cette musique monodique est par cela même réduite à des moyens pauvres, élémentaires. Nous ne savons plus ce qu'est une mélodie. Le mot n'évoque plus aujourd'hui que le souvenir des banalités de l'opéra romantique, cette misère : pour mesurer jusqu'où l'idéal de la musique avait pu s'abaisser chez nos pères, jusqu'à n'être plus que le petit choc nerveux au contact du velouté sensuel de la voix, il faut relire la *Vie de Rossini*, de Stendhal, ou mieux *Massimilla Doni*, ce livre singulier où l'organe sonore de Balzac amplifie l'erreur de son temps jusqu'aux proportions d'une caricature gigantesque.

En réalité, c'est l'harmonie qui est le moyen facile. En se refusant à ces grands jeux, réduit comme il était à une seule ligne sans épaisseur dont les inflexions mille fois recourbées doivent suffire à tout – la sculpture en fil de fer à laquelle s'était un moment amusé le vieux Cocteau –, le musicien médiéval s'imposait la tâche la plus haute. Comme le montrent, parallèlement aux mélodies des troubadours, les quelques témoins qui nous restent de la mélopée antique, la monodie, qui doit se suffire à elle-même, en arrive très vite à un haut degré d'élaboration, de complexité, de richesse secrète. Le musicien s'acharne sur ce fil frémissant qui doit sous sa main s'apprêter, se compliquer, je veux dire *s'entrebescar* (le lecteur, désormais affranchi, tolérera ce mot).

Cette musique excuse d'ailleurs, notons-le en passant, ce qu'on pourrait trouver d'excessif, d'artificiel au style « fermé », au style « riche » des troubadours qui – aussi longtemps qu'on ne fait que lire – paraît sec à force de tension; mais lorsqu'on écoute la mélodie, qui déroule peu à peu ses volutes ruisselantes, on sent la *chanso* distiller goutte à goutte ses vers chargés de sens, avec ses mots rares, ses constructions brisées, l'extraordinaire densité de son style. Qui pourrait supporter, s'ils n'étaient chantés, des vers comme ceux-ci (d'Arnaud Daniel, bien sûr) :

Qu'ades, sens lieis, dic a lieis cochos motz,
Pois quan la vei non sai, tant l'ai, que dire.

Toujours, elle absente, je lui dis d'ardentes paroles, –
puis, quand je la vois, je ne sais que, – tant j'ai à, – lui dire [54].

Ou encore, et toujours du même :

Car orars ni jocs ni viula
No· m pot de leis un travers jonc
Partir... C'ai dig? Dieus, tu·m somertz
O m peris el peleagre! [55]

Car Prière, ni Jeu, ni Viole – ne peuvent d'elle,
d'un travers de jonc – me séparer... Qu'ai-je dit?
(le poète craint de violer le secret) : que Dieu
me submerge, ou m'abîme [1]...

1. On ne peut traduire le dernier mot (rare, probablement forgé) comme s'il avait un sens obvie; en fait il évoque à la fois la profondeur pélagique, la bagarre, la mêlée, *scilicet* amoureuse, et plus obscurément, et plus obscènement encore, m'assure-t-on, le *pel*vis de la Dame d'*Agre*mont, courtisée par le poète!

C'est en essayant de ranimer le lent déroulement de ces vieilles mélodies que le moderne ressentira le plus vivement le sérieux, l'intériorité profonde de cet art des troubadours. C'est par la musique, me semble-t-il, qu'on surprendra le plus sûrement le secret de cet art : par son mélange déroutant d'austérité et de fraîcheur sensible, de hiératisme et de virtuosité, ce style mélodique nous révèle peu à peu la complexité de cet art abrupt qui exige au départ de l'auditeur un tel effort d'attention, de tension intérieure. La musique achève de donner à ces chansons le caractère d'une œuvre de ferveur, comme enveloppée d'une auréole mystique. Ces hymnes solennelles se prétendent des chansons d'amour et il est bien vrai que chacune d'elles a été composée pour telle Dame (les jongleurs prétendaient savoir et nos érudits s'efforcent de vérifier qui, précisément, ont voulu désigner les poètes par ces pseudonymes mystérieux, ou *senhals*, dont ils se servaient pour ne pas prononcer le nom de l'Aimée : ainsi chez Bernard de Ventadour, *Aziman*, « Magnétique », *Conort*, « Réconfort », *Belvezer*, « Belle-à-voir »). Mais la musique ne nous permet pas de nous attarder à cette chronique sentimentale ou sensuelle, à la petite histoire de ces hommes et de ces femmes : ce n'est là que tremplin de départ !

En écoutant ces chants ennoblis de tant de gravité voulue, ces chants tels qu'on les croit presque religieux (comme on verra aux accents avec lesquels Guiraud de Bourneil, dans son *Alba* fameuse, fait prier l'ami qui veille sur la nuit des amants), on ne peut se méprendre sur la valeur extatique de cet art des troubadours, où s'incarne et s'exprime une âme recueillie, tout entière tendue vers un dépassement. Ces chansons d'amour, ruisselantes de mélismes, de chants d'oiseaux et des vents parfumés de Pâques, s'élèvent, dans un élan de l'âme rassemblée vers un Amour plus haut que les amours banales, un idéal si élevé que rien peut-être au niveau de ce monde ne pouvait – et de fait historiquement ne put longtemps – le satisfaire. Mais avant d'aborder l'analyse de cet amour, de ses richesses, de ses ambiguïtés, que le lecteur juge sur pièces : si, dans les limites de ce petit livre, il n'est pas possible de lui fournir une anthologie pleinement significative, qu'il s'arrête du moins à méditer sur ces quelques exemples.

De la première génération qui suivit celle des créateurs (qui n'est plus représentée pour nous que par les quelques pièces du comte de Poitiers), nous retiendrons une des six chansons conservées de Geoffroi Rudel. Des allusions, volontairement mystérieuses, qu'a faites le poète à un « amour lointain », *amor de terra lonhdana*, et de quelque vague souvenir de sa vie réelle (on sait qu'il fut croisé et se trouvait *oltra mar* en 1147), l'imagination romanesque des jongleurs avait tiré la fameuse légende :

Jaufres Rudels de Blaia si fo mout gentils hom e fo princes de Blaia.

« Et il s'enamoura de la comtesse de Tripoli, sans la voir, pour le bien qu'il en ouït dire aux pèlerins qui venaient d'Antioche. Et il fit sur elle maints poèmes, avec de belles mélodies et de pauvres paroles. Et par volonté d'aller la voir, il se croisa et se mit en mer. Mais la maladie le prit sur la nef et il fut conduit à Tripoli en une auberge, tenu pour mort. Et on le fit savoir à la comtesse et elle vint à lui, à son lit, et le prit entre ses bras. Il sut qu'elle était la comtesse et à l'instant recouvra l'ouïe et le sentir, et il loua Dieu pour lui avoir soutenu la vie jusqu'à ce qu'il l'eût vue. Et ainsi il mourut entre ses bras. Et elle le fit ensevelir à grand honneur dans la maison du Temple. Et puis, ce même jour, *elle se rendet monga, per la dolor qu'ella ac de la mort de lui* [56]. »

Cette belle et déchirante histoire a été assumée, comme on sait, par la littérature européenne, de Pétrarque à Uhland, Heine, Carducci, Browning et, hélas, Rostand. Il n'est pas sûr, toutefois, que cette transposition au niveau de l'aventure rende pleine justice à la résonance profonde de l'œuvre originale :

Lanquan li jorn son lonc en may
M'es bels dous chans d'auzels de lonh;
E quan mi suy partitz de lay
Remembra'm d'un' amor de lonh :
Vau de talan embroncx e clis
Si que chans ni flors d'albespis
No'm platz plus que l'yverns gelatz.

Lorsque les jours sont longs en mai
doux m'est le chant d'oiseaux de loin;
puis, quand me suis parti de là,
me souviens d'un amour de loin :
je vais par tel chagrin courbé
que ni chant, ni fleur d'aubépine
ne me plaît plus qu'hiver glacé [57].

Il faudrait tout citer : sept strophes et les trois vers d'envoi.
Passant ensuite à la grande génération, à partir des années 1150, le choix s'impose du chef-d'œuvre annoncé de Bernard de Ventadour :

Quan vey la lauzeta mover
De joy sas alas contra'l rai,
Que s'oblida e's laissa cazer
Per la doussor qu'al cor li vay :
Ai! tan grans enveya m'en ve
De cui qu'eu veya jauzion!
Meravilhas ay, quar desse
Lo cor de dezirier no'm fon.

Quand je vois l'alouette mouvoir
de joie ses ailes à contrejour,
qui s'oublie et se laisse choir
pour la douceur qu'au cœur lui va :
hélas! je sens monter l'envie
pour ceux que je vois heureux.
C'est merveille qu'à l'instant
le cœur de désir ne me fonde.

Ailas! tant cujava saber
D'amor, et tant petit en sai!
Quar eu d'amar no'm puesc tener
Celieys don ja pro non aurai.
Tout m'a mon cor et tout m'a se
E me mezeis e tot le mon;
E quan si'm tolc no'm laisset re
Mas dezirier e cor volon.

Ah! tant croyais-je savoir
d'amour, et tant petit en sais!
Car d'aimer ne puis me tenir
celle dont rien n'aurai jamais.
Elle m'a ravi mon cœur et ma raison,
et moi-même et le monde entier :
m'ôtant ainsi, elle ne m'a laissé
que désir et cœur d'envie [58].

Des classiques de la fin du XIIe siècle, c'est évidemment le *maestre dels trobadors* qu'il faut citer, et de Guiraud de Bourneil, cette « aube » plus d'une fois évoquée. L'*alba*, qui deviendra l'aube des trouvères et le *Tagelied* des Minnesänger, est un genre très caractéristique de la lyrique médiévale, et d'abord occitane : elle a pour thème la séparation des amants quand arrive le jour. J. Chailley a noté la similitude de sa mélodie avec le conduit polyphonique *Beata viscera* de Pérotin, un des maîtres de l'école de Notre-Dame de Paris – pièce qui elle-même devait inspirer, plus avant dans le XIIIe siècle, deux chansons pieuses de Gautier de Coinci.

Reis glorios, verais lums e clartatz,
Deus poderos, Senher, si a vos platz,
Al meu companh siatz fizels ajuda,
Qu'en non lo vi, pois la noitz fon venguda, –
Et ades sera l'alba!

Roi glorieux, vraie lumière et clarté,
ô Dieu puissant, s'il plaît à vous,
à mon ami soyez fidèle appui :
je ne l'ai vu depuis la nuit venue, –
et voici que vient l'aube [59]!

Enfin pour marquer à la fois la transposition finale de la poésie des troubadours sur le plan religieux et l'épanouissement de leur technique musicale, voici du dernier d'entre eux, Guiraud Riquier, « poète assez médiocre mais parfait musicien », une prière, datée de 1275 :

Jhesu Crist, filh de Dieu viu,
Que de la Verges nasques,
Senher forfaitz e repres,
Vos prec que'm detz tal cosselh
Qu'ieu sapcha bes adamar,
E falhimens azirar,
Viven al vostre plazer.

J.-C., fils du Dieu vivant, – qui de la Vierge naquîtes, Seigneur outragé et trahi, – vous prie que me donniez tel conseil, – que je sache mieux aimer et le péché haïr, – vivant à votre plaisir [60].

(Coffret de mariage) ▶

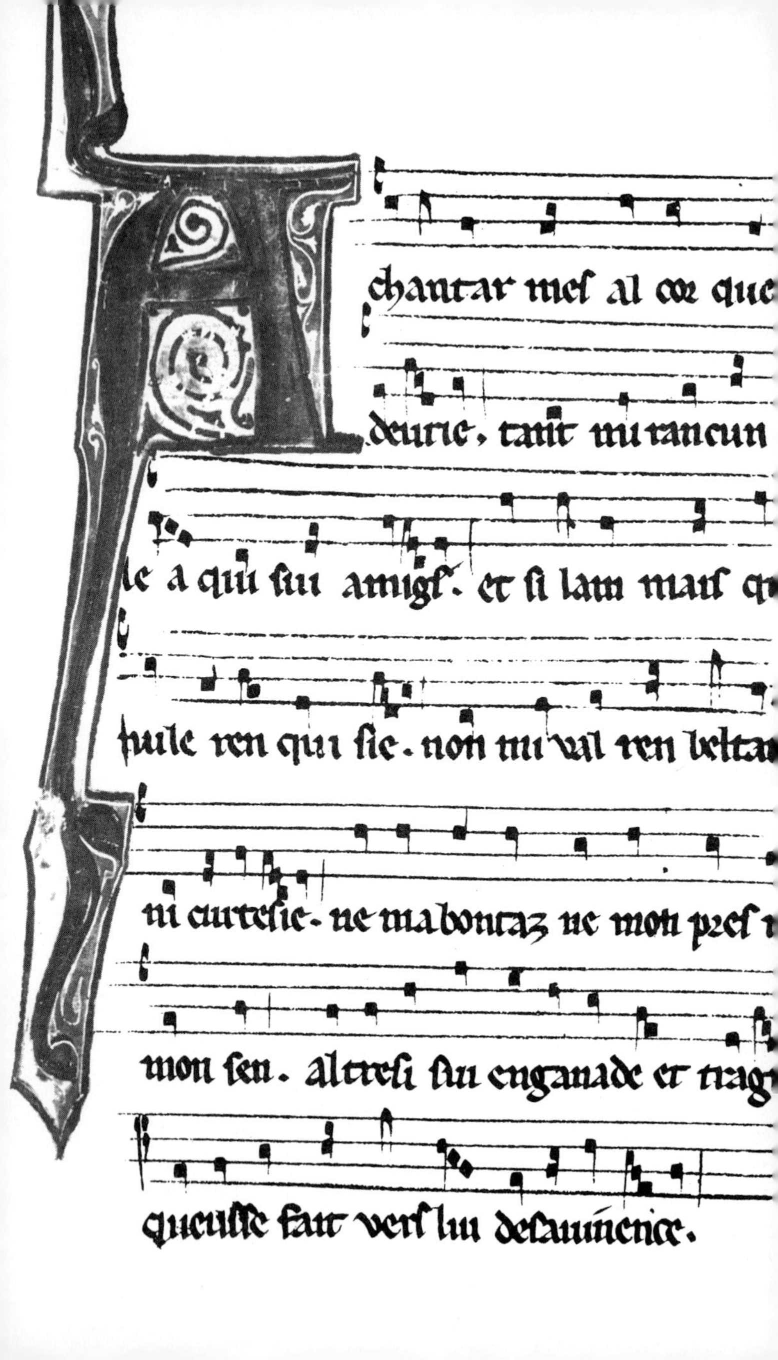
chantar mes al cor que
deurie, tant mi rancun
de a qui sui amigs. et si l'am mais q
nulle ren qui sie. non mi val ren beltat
ni curtesie. ne ma bontaz ne mon pres
mon sen. altresi sui enganade et trag
queu usse fait vers lui desauinence.

L'amour, cette invention du XIIe siècle

Le mot, et la chose, nous viennent du pays d'Oc. Le latin *amore(m)* donne régulièrement en français « ameur », comme *flore(m)* « fleur » (en provençal *flour*); il est significatif que là où cette forme a subsisté – dans le seul dialecte picard – ce soit au sens, brutal, de « rut »; or l'amour, tel que nous l'avons hérité des troubadours, c'est, je n'écrirai pas : c'était, tout autre chose que la pure sexualité.

Un tel amour n'a pas toujours existé. Ne remontons pas au déluge, à l'Antiquité classique (il faudrait plus que quelques lignes pour se débarrasser des problèmes que pose l'amour grec); il suffit de constater que nous rencontrons, dans les premiers siècles du Moyen Age, une conception de l'amour qui n'est pas encore l'amour courtois. Un amour encore sans complications, ni complexes : qu'on se souvienne des robustes ébats de la princesse Berthe, fille de Charlemagne, avec le poète Angilbert (dit : Homère, tout cela est bon enfant). Une nuit où il était allé la rejoindre en sa chambre du château de Lorsch, près du Rhin, la neige tomba en abondance. Au matin, quand il dut regagner son quartier, comment traverser la cour sans se trahir? Qu'à cela ne tienne : Berthe chargea son amant sur le dos et s'en fut, marquant de ses pas la neige immaculée. Un amour, surtout, à dominante masculine : bien conforme à ce que nous pouvions imaginer dans ce premier âge féodal. La femme aime le guerrier, le preux, vit dans le reflet de sa gloire, n'aspire qu'à se donner à lui; elle l'attend, et meurt en silence s'il ne revient pas.

Témoin l'épisode bien connu de la Belle Aude, à la fin de la *Chanson de Roland*. C'est la plus ancienne autant que la plus belle de nos chansons de geste, ce qui ne veut pas dire qu'elle soit d'un primitivisme naïf. Le vieux poète est plein de finesse et de subtilité. Il nous fait mourir Roland en 138 vers : Roland a le temps de penser à tout, à son ami, à son roi, à son épée, à sa gloire, à son âme enfin – pas un mot pour sa fiancée. Mais voici Charles rentré au palais d'Aix :

As li Alde venue, une bele damisele,

lui demande des nouvelles de Roland; le vieil empereur est bien embarrassé :

Pleure des yeux, tire sa barbe blanche :
« Sœur, chère amie, d'homme mort me demandes ! »

Et de lui promettre en échange son propre fils Louis.

Aude répond : « Ce mot m'est bien étrange !
Ne plaise à Dieu, à ses saints ni ses anges,
Qu'après Roland je demeure vivante ! »
Perd la couleur, tombe aux pieds Charlemagne,
Sempres est morte...

Or nous retrouvons la même atmosphère pré-courtoise, la même passion vue, vécue du côté de la femme, dans ces curieuses *Chansons de toile* (entendez : chantées par les femmes au travail de la toile) ou d'*histoire*, témoins ou reflets d'un stade de la lyrique d'oïl antérieur à l'influence provençale. Ainsi :

Belle Doette as fenestres se siet,
Lit en un livre, mais au cuer ne l'en tient :
De son ami Doon li ressovient,
Qu'en autres terres est allé tornoier...

C'est le thème même de la Belle Aude, ou plus précisément celui que reprendra *Malbrouck* : au lieu de Doon, c'est un écuyer qui revient; Doette se précipite aux nouvelles; Doon est mort au tournoi et elle se fera « nonne en l'églyse Saint-Pol »; ou encore :

An halte tour se siet belle Yzabel,

penche sa tête blonde par un créneau et de larmes mouille le bord de son manteau, en quête d'un chevalier qui lui fera justice. C'est encore Belle Erembour qui interpelle Raynaut passant sous sa fenêtre et qui se disculpe de lui être infidèle;

Belle Yolanz en ses chambres seoit,

cousant une robe pour l'ami qu'elle attend; Oriolant soupire et larmoie à regretter son bel ami Helier; celui-ci qui revient entend ces douces plaintes,

Durement s'en est resjoiz.

A propos des chansons, on a vu renaître la querelle, déjà signalée à propos des mélodies : sont-ce là des pièces, anciennes et naïves, ou des pastiches savants? Bien des arguments tour à tour avancés laissent un peu rêveur : Faral, qui croit à la supercherie, trouve excessif que ces femmes se jettent si incongrûment à la tête de leur amant (qui, dit-il, irait s'en vanter?). Pareillement Jeanroy ne pouvait croire à la vérité des sentiments passionnés qu'on a vu exprimer, par exemple, par la comtesse de Die : il ne voyait dans les vers des *trobairitz* que des exercices de style, exploitant les thèmes traditionnels aux poètes, en intervertissant simplement le sexe : « Hypothèse pour hypothèse, il me paraît plus naturel de prêter à ces femmes « nobles et bien enseignées » une certaine paresse d'esprit, une évidente faute de goût, que ce choquant oubli de toute pudeur et de toute convenance. » Où l'on voit qu'on peut être un philologue illustre et n'avoir des femmes qu'une expérience limitée : ces romanistes n'avaient donc pas lu Sappho, ni entendu ses hurlements de louve?

Revenant à la question, il faut dire qu'elle a été le plus souvent mal posée, comme si les deux sources, populaire et artistique, auxquelles s'est toujours alimentée la poésie, n'avaient jamais mêlé leurs eaux. L'histoire au contraire nous fait assister à un mouvement alterné, la chanson populaire intégrant ce qu'elle peut connaître de l'art des élites, celles-ci à leur tour venant périodiquement se retremper avec nostalgie dans le folklore. Nous possédons des pastiches assurés du genre « chanson de toile », ceux par exemple du trouvère artésien Audefroy le Bâtard; mais si celui-ci s'est essayé, d'ailleurs maladroitement, à imiter ce genre archaïque, c'est qu'il en avait le modèle sous les yeux. Quant aux pièces que nous possédons et qui peuvent passer à bon droit pour antérieures, elles n'en sont pas primitives pour cela et peuvent ne représenter qu'une phase, après bien d'autres, de cette courbe à l'allure sinusoïdale.

Il n'est pas difficile de relever des témoignages tout aussi clairs du même état d'esprit, du même amour à dominante virile dans la littérature occitane (et même bien plus au sud, de l'Andalousie du XIe à la Galice du XIIIe siècle) : elle aussi a connu ce que dans la péninsule on appelle *cantigas de amigo*. Nous en possédons un pastiche savant, bien supérieur à ceux d'Audefroy, grâce au talent ingénieux et varié du vieux Marcabrun, qui, dans *A la fontana del vergier...* nous montre la fille d'un seigneur pleurant l'absence de son ami parti pour la croisade avec le roi Louis (VII, 1147). D'autre part l'équivalent exact des plus anciennes chansons de toile françaises nous est fourni par une *alba* anonyme et charmante :

En un vergier sotz fuelha d'albespi
Tenc la dompna son amic costa si,
Tro la gaita crida que l'alba vi :
« *Oi Deus, oi Deus, de l'alba! Tant tost ve!* »

En un verger, sous l'aubépin feuillu
tient la dame son ami contre soi,
tant que le veilleur crie que l'aube a vu :
ô Dieu, ô Dieu, cette aube, si tôt vient!

« *Plagues a Dieu ja la nueitz non falhis,*
Ni'l mieus amics lonh de mi no's partis,
Ni la gaita jorn ni alba ne vis :
Oi Deus, oi Deus, de l'alba! Tant tost ve! »

Plût à Dieu que la nuit n'ait point fini,
que mon ami n'ait pas loin de moi à partir,
que le veilleur jour ni l'aube ne vît :
ô Dieu, ô Dieu, cette aube, si tôt vient!

« *Bels dous amics, baizem nos, eu e vos,*
Aval els pratz on chate'ls auzellos.
Tot o faisam en despeit del gilos :
Oi Deus, oi Deus, de l'alba! Tant tost ve! »

Beau doux ami, baisons-nous, moi et vous,
dans la prairie où chantent oisillons.
Faisons tout ça en dépit du jaloux :
ô Dieu, ô Dieu, cette aube, si tôt vient!

« *Bels dous amics, fassam un joc nouvel,*
Ins el jardi on chanton li auzel,
Tro la gaita toque son caramel :
Oi Deus, oi Deus, de l'alba! Tant tost ve! »

Beau doux ami, remettons ça un coup,
dans le jardin où chantent les oiseaux,
en attendant que le veilleur flageole :
ô Dieu, ô Dieu, cette aube, si tôt vient [61]!

Etc. Comme on voit, c'est toujours la même voix de femme et, comme disait l'autre, le même tranquille oubli de toute pudeur et de toute convenance. Mais, un beau jour, tout est changé : c'est à l'homme maintenant d'aimer et de languir. Ce nouvel art d'aimer apparaît soudain en pleine lumière, au cœur même de l'œuvre et de la vie d'un homme, par bonheur bien connu : nous avons déjà prononcé plusieurs fois le nom de ce premier troubadour, le comte de Poitiers, comme le désignent nos manuscrits, Guillaume IX, comme duc d'Aquitaine. Nous avons évoqué aussi son illustre lignée, apparentée à toutes les grandes familles régnantes de la société féodale du temps. La mort, en 1071, de son père, Gui Geoffroi (qui avait pris le nom dynastique de Guillaume VIII, en succédant à ses demi-frères ou frère, Guillaume VI, Eudes, Guillaume VII) fait de lui, à moins de quinze ans, l'un des plus grands vassaux du roi de France, maître, direct ou indirect, d'un immense domaine déployé en croissant de la Guyenne à l'Auvergne : c'était le résultat d'une longue et patiente politique familiale, et en particulier matrimoniale (dans le style : *tu, felix Austria, nube!*). Il s'efforcera de continuer la tradition, et par deux fois, en 1097, de nouveau en 1113-1119, essaiera de s'assurer le comté de Toulouse, au titre de sa deuxième femme, Philippa ou Mahaut, fille unique du défunt comte, mort en Terre sainte.

Entreprises finalement malheureuses, comme la plupart de celles qui, sur le plan politique ont occupé son règne : guerres contre ses vassaux indociles, ou ses voisins, croisade en Orient (1101-1102), qui aboutit au désastre d'Héraclée; seule réussit une seconde croisade, contre les musulmans d'Espagne cette fois : Guillaume participa à la victoire de Cutanda contre les Almoravides (1120) aux côtés du roi d'Aragon Alphonse Ier. Quand il mourut en 1127, il laissait le souvenir d'une personnalité singulièrement complexe, haute en couleur : on s'explique que les chroniqueurs de l'époque, Orderic Vital, Guillaume de Malmesbury, le prieur de Vigeois, nous aient longuement parlé de lui. Plus que sa politique, brouillonne et finalement stérile, c'est sa vie privée qui nous intéresse ici. Orageuse et pittoresque : « Le comte de Poitiers, nous dit sa courte biographie provençale, fut un des plus courtois hommes au monde, un des plus grands trompeurs de dames, riche en aventures galantes », *uns dels majors trichadors de domnas, e larcs de domnejar* [62], ce qui, traduit en style ecclésiastique, devient chez nos chroniqueurs : « ennemi de toute pudeur et de toute sainteté », « vautré dans le bourbier des vices ».

Il fut, on l'a vu, marié deux fois, d'abord à Ermengarde d'Anjou, qui, après l'annulation de leur mariage, épousa le duc Alain de Bretagne, puis à Philippa de Toulouse, elle-même à ce moment veuve du roi d'Aragon. Ce n'était pas, on s'en doute, assez pour lui. Il s'afficha avec sa maîtresse, la vicomtesse de Châtellerault (elle portait le beau prénom de Dangereuse; lui l'appelait Maubergeonne, « la mal hébergée » : il la logeait en quelque tour, inconfortable, du château), tant qu'il dut être excommunié par le légat du pape; il l'avait été déjà une première fois par l'évêque de Poitiers. Sentences qu'il accueillit avec une magnifique insolence : après avoir brandi l'épée contre ledit évêque, il rengaine en disant : « Je te hais trop pour te juger digne de ma haine et je ne veux pas t'envoyer de ma main au paradis! » Et au légat, qui était chauve : « Le peigne te frisera la tête avant que j'abandonne la vicomtesse!... »

Les pieux chroniqueurs nous racontent, en se voilant la face, comment il rimait et chantait ses facéties, « en les épiçant d'un charme trompeur », *falsa quadam venustate condiens* (allusion transparente à l'élégance de ses vers) et en faisant rire l'auditoire à gorge déployée. La moitié des onze chansons que nous avons conservées de lui, correspond bien à cette description et à ce qu'on pouvait attendre d'un tel homme, cynique et paillard. Dans *Companho, farai un vers*, il discute avec un apparent sérieux des mérites comparés de deux destriers qu'il a en son écurie, mais au 24e vers nous apprenons que ces deux montures sont deux femmes, Dame Agnès et Dame Arsen. Ces deux noms, ou presque, *N'Agnes* et *N'Ermessen* cette fois, sont ceux des héroïnes d'une autre aventure où Guillaume raconte comment il s'est fait passer pour muet auprès des deux dames, aussi prudentes qu'effrénées, et quels exploits, une fois introduit chez elles, il accomplit en huit jours à leur service :

Tant les fotei com auziretz :
Cen e quatre vint e ueit vetz
Q'a pauc no·i rompei mes coretz
E mes arnes!

Tant les f—is comme entendrez : oui, bien 188 fois, –
à m'en rompre courroies et harnais [63].

J'en passe et des meilleures : adressés à ses *companhos*, camarades de noce, ces vers glissent si facilement du facétieux à l'obscène que nos vertueux érudits n'osent pas toujours les traduire.

Mais voici la surprise : dans l'autre moitié de l'œuvre (la XIe chanson est cet adieu, d'un ton ému et devenu tout religieux, que nous avons déjà cité), une tout autre inspiration se fait jour. Passons rapidement sur la pièce ambiguë,

Farai un vers de dreyt nien....

Je ferai un vers de pur néant

que l'historien suisse roumanche R.R. Bezzola a peut-être trop exaltée, voyant dans ses antithèses forcées l'écho d'une crise intérieure, et des accents d'un « modernisme » étonnant. On y relève bien, en effet, une allusion, digne de Geoffroy Rudel, à l' « amie inconnue »,

Amigu' ai ieu, no· sai qui s'es;

j'y vois surtout outre la volonté d'être obscur (la mention finale de la « contreclé » nous situe déjà en plein *trobar clus*), un *gab* ou vanterie et ce goût du paradoxe dont après les troubadours héritera la littérature précieuse : nous trouvons déjà formulé le « je ne sais quoi » cher à W. Jankelevitch :

Fag ai lo vers, no· say de cui... [64]

Mais il reste les quatre autres pièces, quatre chansons admirables, les quatre premiers vrais poèmes d'amour. Tout le répertoire et l'art des troubadours sont déjà condensés làdedans. Tout : déblayons rapidement l'accessoire, le cadre stéréotypé de la reverdie, de la chanson de printemps :

Ab la dolchor del temps novel
Foillo li bosc, e li aucel
Chanton chascus en ler lati
Segon lo vers del novel chan...

Par la douceur du temps nouveau, – feuillent les bois
et les oiseaux, – chantent chacun en leur latin, –
les strophes d'un nouveau chant [65].

L'étiquette de la civilité courtoise et les conseils renouvelés d'Ovide : « Se rendre agréable à tous, et se garder, à la cour, de parler mal » :

E que·s gardt en cort de parlar
Vilanemens [66]

(le *Breviari d'Amor*, deux siècles plus tard, citera encore ces préceptes dans son chapitre « De la retenue », *De retenamen*). On n'est plus entre *companhos* ici, mais au salon. Les descriptions à la fois enthousiastes et banales de la beauté de sa Dame : ô vous

Que plus etz blanca qu'evori... [67]

et ces hyperboles dont se moquera plus tard, en vrai bourgeois français, l'auteur d'*Aucassin* :

Per son joy pot malautz sanar,
E per sa ira sas morir.

La joie qui vient d'elle peut guérir les malades,
sa colère tuer le plus sain [68].

On se souvient de l'épisode et comment Nicolette guérit le pèlerin frappé de l'esvertin :

Tu passas devant son lit :
si soulevas ton train
et ton peliçon ermin,
la chemise de blanc lin,
tant que ta jambete vit :
garis fu li pelerins!

Il n'en faut pas plus (*Aucassin* est une satire de l'idéal courtois, mais comme le *Quichotte* l'est du roman de chevalerie : qui dira jusqu'où va la complicité secrète, chez l'un et l'autre, avec ce qu'ils prétendent moquer?).

Mais à côté de ces détails, il y a tout le reste, l'essentiel, l'Amour. Bien entendu celui-ci n'évacue pas l'Éros, le désir, et le sang dans la chair : « J'en mourrai,

Si no'm baiyz'en chambr' o sotz ram! »

Si elle ne me baise en chambre ou au jardin [69]!

Mais il y a désormais beaucoup plus que cela et la chose elle-même s'auréole d'une infinie délicatesse :

Enquer me membra d'un mati
Que nos fezem de guerra fi,
E que·m donet un don tant gran
Sa drudari'e son anel :
Enquer me lais Dieus viure tan
C'aja mas manz sotz so mantel!

Encore me souviens d'un matin,
où nous mîmes à la guerre fin,
quand elle me donna un don si grand,
son amour et son anneau :
Que Dieu me laisse vivre tant
que j'aie mes mains sous son manteau [70].

L'attitude de l'amant est maintenant faite d'humilité et d'humble réserve :

Si·m vol mi dons s'amor donar,
Pres suy del penr' e del grazir
E del celar e del blandir
E de sos plazers dir e far...

Si ma Dame me veut son amour donner,
Je suis tout prêt à recevoir et rendre grâces,
à tout cacher, à la servir,
tout dire et faire à son plaisir [71].

Il n'est pas question de plaisanter et de se vanter, mais de se taire, et cela pas seulement, comme on pourrait le croire, par prudence, pour les précautions d'usage qu'exige l'intrigue adultère (sans doute on verra souvent apparaître, chez les troubadours, le personnage en quelque sorte obligé du « jaloux », du *lauzengier* ou médisant); il y a beaucoup plus : c'est que le bonheur est de soi incommunicable.

Que tal se van d'amor gaban,
Nos n'avem la pessa e·l coutel.

Que tels s'aillent d'amour vantant :
nous, – nous avons le pain et le couteau [72].

Ce thème du secret va être l'un des thèmes essentiels de la tradition courtoise. On se souvient de la place qu'il occupe encore dans la *Vita Nuova* et comment Dante raconte que beaucoup de ses amis s'efforçaient de savoir ce qu'il voulait absolument cacher, non qu'il aimât, car cela ne pouvait être déguisé, mais pour qui était cet Amour – *ed io sorridendo li guardava, e nulla dicea loro...* L'amour est chose trop grave pour être profanée, la chose la plus grave qui soit, la raison d'être de l'existence :

Quar sens lieys non puec viure,
Tant ai pres de s'amor gran fam.

Car sans Elle je ne puis vivre,
tant j'ai pris de son amour grand faim.

La source de toute joie, de tout le bonheur :

Totz lo joys del mon es nostre,
Dompna, s'amduy nos amam.

Toute la Joie du monde est à nous
ô Dame, si tous deux nous aimons [73].

Aussi avec quelle finesse, quelle précision de touche, quel bonheur d'expression parle-t-on désormais de cet amour, de ses nuances, de son devenir :

La nostr'amor vai enaissi
Com la branca de l'albespi
Qu'esta sobre l'arbre en treman
La nueit, a la ploja ez al gel,
Tro l'endeman, que·l sols s'espan
Pel las fuelhas verz e·l ramel.

De notre amour il est ainsi
comme la branche de l'aubépine
qui est sur l'arbre, tremblante
la nuit, à la pluie et au gel,
jusqu'au demain, quand le soleil s'étend
par les feuilles vertes et le rameau [74].

Nous sommes toujours sous l'aubépine – mais quel changement à vue, depuis l'aube anonyme que nous avons citée plus haut, et cette dame si ardente à profiter des faveurs de son beau doux ami! Comme nous sommes loin de la belle Aude, de Belle Doette ou de Belle Erembour! Avec Guillaume IX, nous avons pénétré dans un tout autre système de valeurs, le domaine enchanté du nouvel amour. A des nuances près, et qui tiendront plus aux particularités personnelles de chacun qu'à une évolution d'ensemble, tous les troubadours vont, pendant deux siècles, exprimer les mêmes sentiments, vivre de ce même idéal : dès le premier d'entre eux, l'amour courtois est devenu ce qu'il restera.

Or, il en est de la forme comme du fond : nous ne rencontrons pas ici les prouesses acrobatiques que nous offriront les générations suivantes, mais c'est déjà pourtant le même raffinement, la même maîtrise dans l'harmonie des vers, le maniement de la langue, des ressources de la rime, de la structure strophique. Telle Athèna jaillissant tout armée du cerveau paternel, l'art des troubadours se manifeste du premier coup dans sa pleine maturité : le comte de Poitiers ne fait pas figure de précurseur, il se pose d'emblée comme le premier des classiques.

Voilà qui est bien fait pour surprendre l'historien moderne, habitué à scruter les étapes d'un développement progressif, en quelque sorte embryonnaire. Ici, nous sommes passés sans transition de la nuit à la pleine lumière. On comprend dès lors l'intérêt passionné, l'acharnement pourrait-on dire, avec lequel nos érudits ont recherché d'où pouvaient bien être sortis l'amour courtois et l'art des troubadours. Le lecteur innocent imagine mal l'étendue et la complexité de la bibliographie consacrée à ce sujet : on en est arrivé, en Allemagne, à consacrer des thèses à l'examen des différentes thèses *über den Ursprung der provenzalischen Lyrik*, ainsi Käte Axhausen à Marburg, 1937.

Il faut dire tout de suite que le problème apparaît, le plus souvent, avoir été mal posé. On a trop abusé de la « recherche des sources », *Quellenforschung*, négligeant de considérer ce qu'est la condition humaine, les servitudes qui en découlent, et en quel sens impropre il est permis, à propos de l'homme, de parler de « création », dans le domaine, par exemple, de l'art ou de la pensée. Dieu seul peut véritablement créer, faire surgir à l'existence à partir du néant. L'homme, lui, ne peut que transformer les matériaux, les données, l'héritage qu'il a reçus. Toute œuvre humaine, si originale qu'elle paraisse d'abord, a nécessairement des sources. Il importe certes à l'historien de déterminer quels sont les matériaux à partir, et au moyen, desquels a travaillé l'artiste (ou le penseur, ou, s'il s'agit d'un phénomène collectif, la mentalité commune), mais il lui importe beaucoup plus encore de savoir quel usage il en a été fait.

Geoffroi Rudel et la comtesse de Tripoli

L'hypothèse arabe

Il reste que l'imitation, ou l'emprunt pur et simple, sont aussi des phénomènes historiques bien attestés. La première hypothèse qu'il convenait d'envisager consistait à se demander si les catégories de pensée et les techniques d'art, que les troubadours introduisent brusquement, ainsi qu'on l'a vu, au sein de la civilisation occidentale, ne proviendraient pas d'une autre civilisation, contemporaine mais plus précoce et déjà plus riche. Byzance paraissant hors de cause (à vrai dire on sait peu de chose sur l'amour byzantin, en dehors de la longue survivance d'un romanesque de style hellénistique), il ne peut s'agir que de l'islam.

Les Arabes ne restèrent pas longtemps ces puritains barbares qu'ils étaient au sortir du désert : avec une étonnante capacité d'assimilation, ils assumèrent les valeurs des pays de vieille et riche civilisation qu'ils avaient conquis, l'Orient byzantin ou la Mésopotamie et l'Iran sassanides, et en tirèrent les éléments d'une synthèse originale (c'est même là un cas majeur où se vérifie la loi ci-dessus formulée concernant la création humaine); elle fleurit et fructifia très rapidement. Dès la seconde moitié du IIe siècle de l'hégire – notre IXe siècle, celui de la décadence carolingienne! – nous rencontrons dans les milieux intellectuels, si raffinés, de Bagdad une conception extrêmement élaborée de l'amour qui n'est pas sans présenter bien des traits communs avec ce qui sera, chez les nôtres, l'amour courtois.

L'imagination des poètes de Bagdad avait projeté cet idéal dans une figure mythique, celle de la tribu légendaire des Banou (al) 'Odrah (les « Fils de la Virginité »), qui aurait vécu quelque part au sud de l'Arabie, aux confins du Yémen : on sait combien l'âme arabe, même au sein d'une civilisation urbaine, est toujours restée hantée par la nostalgie de la vie bédouine; c'est tout naturellement au désert qu'elle devait situer son idéal d'amour. Les Banou

'Odrah, c'était la tribu où l'on pensait que « mourir d'amour est une douce et noble chose ». Stendhal, qui la tenait de Fauriel, a rapporté cette anecdote : on demanda un jour à un Arabe : « De quel peuple es-tu? – Je suis du peuple chez lequel on meurt quand on aime! – Tu es donc de la tribu des B. 'Odrah? – Oui par le maître de la Ka'ba. – D'où vient donc que vous aimez de la sorte? – C'est que nos femmes sont belles et nos jeunes gens chastes! » Le parfait amour « odhrite » est un amour pur : son héros est ce Jamîl qui mourut, après vingt ans de fidélité, sans avoir jamais porté la main pour le mal sur Bothaynah sa bien-aimée... On prétendait tenir du Prophète ce *h*adîth : « Celui qui aime mais reste chaste, n'avoue pas son secret et meurt, celui-là meurt martyr. »

C'est en répétant ce texte consolant que mourut Ibn Dawûd (868-910), fils et successeur du fondateur du rite zahirite, personnalité singulièrement complexe et, pour nous Occidentaux, bien déroutante. « C'était, nous dit L. Massignon, grâce à qui nous avons pu prendre un contact direct avec cette étonnante littérature, un caractère délicat, frêle, efféminé, – épris de raffinements et de luxe, très tôt énervé par la civilisation et les mœurs polies des milieux lettrés de Bagdad. » Historiquement, il apparaît en dernière analyse comme le grand responsable de la condamnation d'Al Hallâj, martyr mystique de l'Islam, mort sur la croix pour avoir osé aimer Dieu – blasphème aux yeux de la théologie zahirite, car qui dit aimer, établit une relation entre l'Ami et l'Aimé; aimer Dieu serait en quelque manière l'assimiler à l'homme, sa créature, au mépris de sa Transcendance; ce que l'homme doit à Dieu, ce n'est pas l'amour, mais la louange, qu'il lui prescrit par sa Révélation et que le croyant lui donne, ou restitue, par la foi.

Ce même Ibn Dawûd, jurisconsulte érudit et théologien sévère, a été aussi le théoricien du pur amour dans son *Kitâb al Zahrah*, le « Livre de la Fleur », un traité en cinquante chapitres, l'un des chefs-d'œuvre de la prose classique, qui enchâsse « de courtes pièces de vers, tirées des plus grands poètes qui aient loué l'amour, en arabe, poètes du désert, poètes des cités ». Certaines passent pour être de lui, comme celle-ci où la subtilité le dispute à la tendresse :

J'aime mieux en me privant de toi,
Garder mon cœur navré, garder mes yeux noyés.
Oui, je t'avais demandé l'étreinte qui eût calmé
Mon sang, mais sache-le, je me sens apaisé.
Ah! non, n'accomplis pas ta promesse de m'aimer,
De peur que vienne l'oubli! Je veux être avare de mes sanglots!

Il s'agit là d'un amour strictement profane, ce qui est conforme à sa théologie : ce n'est pas l'*agapè* chrétienne, cet Amour qui vient de Dieu, appartient à Dieu et tend vers Dieu; c'est, comme chez les Tragiques grecs, une fatalité aveugle, d'ordre physique. Le raffinement consiste à la subir, sans y céder, ce qui permet, à la fois, de respecter à la lettre (et seulement selon la lettre, ô scandale) les interdits de la loi morale et de prolonger indéfiniment la passion elle-même, son trouble, son délicieux tourment. Conception moralement suspecte (pour Ibn Dawûd, c'est l'étreinte charnelle seule qui est interdite, le plaisir des yeux est licite, ce qui permet beaucoup de complaisance pour les amours impures), psychologiquement assez pathologique, mais riche de délicatesse, de sensibilité; mais laissons parler Ibn Dawûd lui-même, en son chapitre VIII :

« Quand bien même la chasteté des amants, leur éloignement pour les souillures, et le soin de leur pureté ne seraient pas protégés par les préceptes de la loi religieuse et le préjugé des coutumes – certes, ce serait encore le devoir de chacun de rester chaste, afin d'éterniser le désir qui le possède avec le désir qu'il inspire. – Et A*h*mad Ibn Ya*h*yä m'a récité, d'après Mo*h*ammad Ib Is*h*âq, d'après Moû'mil Ibn *T*âloût, des gens de Wâd al Qorä – ces vers de *H*amzah Ibn Abî *D*aygham :

Nous sommes restés tous deux, cette nuit, en arrière des tentes (de la tribu),
sans demeurer près d'eux, ni rejoindre l'ennemi.
Et nous avons passé la nuit, immobiles, tandis que le soir tombait, puis la rosée,
sous un manteau du Yémen, plein de parfums.
Ecartant, à la pensée de Dieu, loin de nous, la folle ardeur de la jeunesse,
lorsque nos cœurs, en nous, se prenaient à battre.
Et nous sommes revenus, abreuvés de chaste retenue,
ayant à peine calmé la soif de l'âme entre nos lèvres.

On objectera : Bagdad et le IXe siècle, tout cela est bien loin de l'Aquitaine et de nos troubadours. C'est oublier l'extraordinaire unité de la civilisation arabe, qui s'était en quelques générations étalée du Turkestan à l'Atlantique. L'Espagne musulmane a connu les mêmes raffinements, la même ardeur amoureuse et poétique. Nous possédons l'équivalent exact du *Kitâb* d'Ibn Dawûd dans *le Collier de la Colombe, ou De l'amour et des amants*, composé à Játiva (au S-O. de Valence) en 1022, par celui que les Espagnols appellent Abenházam, de son vrai nom Abû Mu*h*ammad 'Alî Ibn *H*azam al-Andalusî. Il s'agit ici aussi d'un traité systématique, en prose coupée de citations poétiques, analysant les différents thèmes de cette érotique; ainsi chez Ibn Dawûd, ch. I, « Plus on contemple, plus longtemps on souffrira », ch. XXXV, « Les cris du chameau égaré sont familiers à tout amant passionné ». Dans *le Collier*, ch. IV, « Amour sur simple description » (comme dans la légende de Geoffroi Rudel); ch. V, « Amour à première vue » :

Who ever loved that loved not at first sight

dira encore Marlowe. Le chapitre final est, de façon significative, consacré à l'« Excellence de la chasteté ».

Ibn *H*azam n'est pas un cas isolé : nous possédons toute une riche production poétique, volontiers consacrée elle aussi à chanter un amour exalté, œuvre de poètes hispano-arabes (et secondairement, aussi hispano-juifs). Si leur grande époque est le XIe siècle, celle des « Reyes de Taifas » (où l'Espagne musulmane est divisée entre petites principautés rivales), la tradition, qui se poursuivra, d'ailleurs, ininterrompue, jusqu'aux dernière étapes de la *Reconquista*, remonte au moins au temps de l'émir Abderame (Abd er-Ra*h*mân II, 912-961), mécène éclairé, amant fastueux et passionné, sinon même à son grand-père et homonyme, premier du nom, un contemporain de Charlemagne.

Un exemple suffira; voici un poème d'Al-Mu'tamid, prince de Séville (1040-1095, l'un des derniers Reyes de Taifas) :

Je souffre d'être séparé de Toi,
ivre du vin de mon désir pour Toi ;
Affolé du besoin d'être avec Toi,
de boire à tes lèvres et de serrer, dans mes bras, Toi.
Mes cils ont fait le serment solennel
de ne pas se rejoindre avant que j'aie rejoint Toi!...

Comme technique voilà qui rappelle la pièce *Ges non puesc en bon vers falhir* du troubadour Pierre Rogier, où chaque strophe se termine par le même mot *Lieys*, « Elle » :

Que'l ben qu'ieu dic ai tot de lieys [75].

Il n'y a là rien d'autre part quant au fond, qui soit bien différent de la plus authentique lyrique occitane, sinon que ce poème s'adresse à une épouse légitime : il l'appelait It'imâd, c'était une esclave qu'il avait rachetée à son maître, un muletier, pour la vive repartie avec laquelle elle s'était introduite dans un jeu poétique auquel s'amusait Al Mu'-tamid, se promenant avec son vizir sur les bords du Guadalquivir. Jeu dont on trouverait l'équivalent dans les coutumes du Japon féodal : l'un des partenaires improvise un premier hémistiche, l'autre doit aussitôt compléter le vers. Comme le vizir hésitait, la jeune fille, jusque-là occupée à laver son linge dans le fleuve, se redressa et lança une réplique piquante... Pour dire la vérité, le même prince-poète a aussi chanté ses concubines (on peut penser que c'était avant, ou longtemps après...) : elles portaient de si beaux noms : « Magie », « Perle », « Tendresse ».

L'hypothèse d'une origine (hispano-)arabe de la poésie des troubadours, suggérée dès le XVIe siècle par G.M. Barbieri et défendue, à la fin du XVIIIe par le jésuite espagnol exilé J. Andrés, a été bien souvent reprise depuis, et tout récemment encore. Elle a rencontré d'autre part des adversaires aussi résolus que ses partisans pouvaient être enthousiastes : « Inexplicável delirio! » s'écriait Menéndez Pelayo, à quoi Menéndez Pidal risposte en déplorant : « el prejuicio antiárabe »; la discussion n'intéresse pas seulement la péninsule ibérique, mais le monde savant tout entier : l'un des défenseurs les plus ardents de la thèse a été le regretté A.R. Nykl, un arabisant de Chicago d'origine slovaque, avec qui j'ai soutenu une ardente polémique : nous échangions des invectives, tour à tour en français, en anglais, en occitan du XIIe, et pour finir en sanscrit [1].

On a dépensé beaucoup d'efforts pour combler le fossé, en effet difficile à franchir, qui sépare à première vue l'islam andalou et le Limousin d'époque romane. Les croisades d'Espagne ont souvent été considérées comme l'occasion de brassages et d'échanges culturels : tant de seigneurs aquitains, et parmi eux de troubadours, ont en effet passé les Pyrénées, à commencer par Guillaume IX (et déjà, on va le voir, son père)! A quoi répondent les sceptiques que croisés et musulmans échangeaient plus de coups d'épée que de romances. Et pourtant! Les guerres d'Espagne ont eu souvent le caractère de raids ou de razzias, et le butin rapporté pouvait comporter bien des richesses : nos chevaliers n'étaient pas insensibles aux charmes des belles captives musulmanes, ni à leurs talents musicaux. L'historien Ibn Haiyûn rapporte qu'après la prise et le sac de Barbastro (1064), expédition à laquelle participa précisément, bien qu'elle fût surtout conduite par des Normands, le duc

1. Le sanscrit était de Nykl : je le souligne en toute humilité!

Guillaume VIII d'Aquitaine, un marchand juif se rendit dans cette ville pour racheter les filles d'un notable musulman qui avait échappé au massacre; on savait qu'elles étaient échues en partage à un certain comte franc. Le marchand trouve celui-ci dans la maison du notable à laquelle rien n'avait été changé; il est vêtu à la moresque, étendu sur un divan, entouré d'un essaim de belles jeunes filles qui le servent. Dès qu'il est question de rançon, le croisé fait apporter des sacs d'or et d'argent, des écrins, des ballots de soie et de brocart : « Je sentais bien, raconte le bon Juif, qu'en comparaison de toutes ces richesses, ce que j'avais à offrir était sans valeur. » Des deux filles de la maison, l'une est devenue la concubine du nouveau maître, quant à l'autre, elle aussi belle à ravir, le comte l'appelle et lui dit en mauvais arabe : « Prends ton luth et chante pour notre hôte quelques-unes de tes chansons. » Elle prit alors son luth et s'assit pour l'accorder; mais je voyais rouler sur ses joues des larmes que le chrétien essuyait furtivement. Ensuite elle se mit à chanter des vers que je ne comprenais pas (sans doute parce qu'ils étaient en arabe classique et que notre Juif ne parlait que le dialecte vulgaire) et que par conséquent le chrétien comprenait encore moins. Mais ce qu'il y avait d'étrange est que ce dernier buvait continuellement pendant qu'elle chantait et montrait une grande gaieté, comme s'il eût compris les paroles de l'air qu'elle chantait... »

L'anecdote a été souvent rapportée, depuis que l'orientaliste hollandais Dozy la fit connaître en 1849 (on sait que Barrès s'est efforcé laborieusement d'en tirer, en médiocre héritier de Chateaubriand, le sujet d'une nouvelle, *la Musulmane courageuse*, qu'on peut lire au tome IV de ses Cahiers) : ce sont toujours les mêmes textes qui reviennent, car le dossier est mince. On pourrait, il est vrai l'enrichir : le poète Al Higârî de Guadalajara, fait prisonnier par les Navarrais en 1138, envoya à un de ses amis d'Alcala, en lui demandant de le racheter, une pièce qui commence par ce vers :

Me voici captif dans la froide Biscaye...

Il est d'autre part certain qu'une certaine influence artistique s'est exercée, d'islam en pays roman, et cela non seulement dans les arts plastiques, où elle est évidente, mais aussi dans le domaine poétique et musical : qu'on songe à l'adoption du luth, instrument promis à une telle fortune, et dont l'origine et jusqu'au nom *(al 'ûd)* sont arabes.

Mais, soulignent malignement les objecteurs obstinés, on n'a pas réussi à établir la preuve d'un contact précis, attestant qu'un des premiers maîtres de la lyrique occitane ait été initié à celle d'Andalousie. R. Menéndez Pidal, l'un des tenants les plus convaincus de la thèse arabe, a bien versé au débat un curieux document figuré, en apparence tout à fait convaincant : parmi les miniatures qui illustrent un manuscrit des *Cantigas de Santa Maria* du roi de Castille Alphonse X *el Sabio*, représentant jongleurs et musiciens, il s'en trouve une qui nous montre deux jongleurs, l'un en costume arabe, l'autre chrétien, se faisant face en jouant du luth et chantant, l'un pourrait-on dire à l'école de l'autre. Mais ces manuscrits sont, au mieux du XIVe siècle, les *Cantigas* ont été composées seulement entre 1265 et 1280 : nous sommes encore bien loin, dans le temps comme dans l'espace, de l'apparition, quelque part vers Limoges ou Poitiers, de l'art des troubadours.

Le clan des « arabistes » poussa un cri de victoire lorsqu'entre 1941 et 1952 deux orientalistes, l'un anglo-israélien, S. M. Stern, l'autre espagnol E. Garcia Gomez, réussirent à déchiffrer la strophe finale ou *khardja* d'une cinquantaine de poèmes, arabes ou hébreux, composés en Andalousie du XIe au XIIIe siècle (le plus ancien est antérieur à 1042) : malgré l'insuffisance de l'écriture sémitique, on put montrer qu'elles étaient rédigées en un dialecte ibérique roman, mêlé de quelques mots arabes. Il n'est pas question de minimiser l'importance de cette découverte, tant pour l'histoire des langues romanes (on discute pour déterminer si ce dialecte andalou est plus proche du futur portugais que du castillan), de leurs littératures (celle d'Espagne, reportée plus haut dans le temps, débute ainsi par le lyrisme et non plus par l'épopée), de la civilisation mozarabe enfin : nous constatons l'existence d'un milieu culturel mixte, romano-arabe, où se juxtaposent l'apport oriental et la survivance des traditions latines. L'islam n'a jamais absorbé la totalité de la population ibérique : à côté des musulmans, conquérants ou convertis, persiste (comme en Égypte la minorité copte) une importante fraction de chrétiens plus ou moins « arabisés » (c'est le sens originel du terme « mozarabe » : *musta'rib*). Mais, en ce qui concerne notre problème des origines occitanes, la révélation de ces « chansons mozarabes » ne me paraît pas entraîner toutes les conséquences, avoir toute la portée que, dans le premier enthousiasme qui suivit la découverte, on semble avoir été tenté de leur reconnaître. J'avancerai trois observations :

1. Nous sommes toujours en Andalousie, bien loin des marches septentrionales du pays d'Oc; nous n'avons toujours pas les chaînons intermédiaires qui établiraient la liaison avec les premiers troubadours ou avec la lyrique ibérique postérieure : lorsque celle-ci apparaît, en catalan ou en gallégo-portugais, elle est, soit une dépendance, soit une imitation de la lyrique occitane.

2. Que des poètes arabes (ou, à leur école, juifs) insèrent des vers romans dans leurs poèmes, cela atteste une influence latine sur l'arabe, et non, celle qu'on cherche à établir, de l'arabe sur les Latins. Sans doute on peut admettre qu'échange appelle interéchange, mais c'est toujours un postulat, du moins en ce qui concerne la poésie lyrique. Car sur un tout autre plan, celui des sciences, le XIIe siècle a vu se multiplier, et précisément à partir de cette Espagne mozarabe, les traductions latines des écrivains de langue arabe, musulmans ou juifs, philosophes, théologiens, astrologues même, traductions qui eurent, comme on le sait, une si grande influence sur le développement de la pensée scolastique. Mais nous sommes là dans un milieu très différent de celui où ont pu, ou auraient pu, se former les troubadours.

3. Enfin et surtout, les thèmes érotiques qu'expriment ces vers relèvent toujours d'une conception archaïque de l'amour, cet amour à dominante virile de *la Chanson de Roland*, des

chansons de toile, et non du culte de la Dame inauguré avec Guillaume IX. Quelques exemples, bien significatifs :

Ven, sidi, ven...

écrit :

B'n sydy b'n

Viens, mon Seigneur, viens...

Gar, si yes devina,
y devinas bi 'l haqq,
Gar me cand me vernad
meu habîbi Ishâq.

Dis, si tu devines en vérité, – dis-moi quand me viendra mon ami Ishaq.

Ou encore, pour s'en tenir à la traduction :

Que ferai-je, maman :
mon ami est à la porte !
...
Mon sidi Ibrahim, ô toi homme doux,
viens à moi, cette nuit.
Si tu ne veux pas, j'irai moi à toi :
dis-moi où te rencontrer.
...
Dites-moi, ô petites sœurs,
comment contenir mon mal :
Sans mon ami je ne vivrai,
je m'envolerai le chercher [76] *!*

On comprend que les théoriciens arabes nous disent que la *khardja* doit être « brûlante comme le naphte » : il n'y a rien dans ces cris brûlants d'un amour de femme qui nous oriente vers l'amour idéalisé ou du moins spiritualisé qui sera celui des troubadours.

Revenons aux poètes arabes eux-mêmes : ceux-ci expriment tour à tour des conceptions diverses de l'amour, allant du plus sensuel au raffinement, ou aux illusions, de l'amour « 'odhrite »; on trouve parfois des allusions explicites à celui-ci, comme dans ces vers d'Ibn Sâra de Santarem (v. 1095-1123) :

> *Souvent mon amie m'a visité pendant une nuit (noire) comme sa chevelure et est restée chez moi jusqu'à l'aube (éclatante) comme son visage.*
> *Je l'ai eue comme commensale tandis que l'amour 'odhrite était là en troisième et que le vin livrait des assauts à mon esprit comme la prunelle de ses yeux.*

(les poètes andalous l'associent au vin et à l'ivresse, comme les Persans)

> *Je me suis montré chaste à son égard comme le fait un homme noble dans la plénitude de ses forces : la chasteté est une vertu quand celui qui l'observe est dans toute sa force.*

On trouve alors bien des points de contact avec ce que va être l'amour chanté par les poètes occitans. Il est facile de souligner la correspondance, terme à terme, des personnages stéréotypés qui jouent, dans l'une et l'autre littérature, un rôle en quelque sorte obligé :

hasûd = *gilos*, le « jaloux »
raqîb = *gardador*, le « gardien » de la belle
wâshî = *lauzengier*, le « médisant »

L'Arabe a connu, et apprécié, lui aussi, la « bonne éducation *(adab)* et quelque chose qui, par le raffinement des manières, confine à notre notion de courtoisie *(zarf)*; et que de thèmes communs! Celui du secret, qui rejoint facilement celui du *trobar clus*, ainsi chez Ibn al *H*addâd de Cadix :

> *J'ai tu précieusement le nom de mon amie, car par habitude je ne le prononce pas, et ne cesse, par mes énigmes, de le rendre encore plus obscur.*

L'usage du *senhal* ou nom d'emprunt; l'humilité de l'amant qui s'abaisse, se déclare l'esclave, le « mameluk » de son Amour; tel Ibn Zaidûn de Cordoue :

> *Entre toi et moi, si tu voulais, il y aurait quelque chose qui ne se perdrait pas, un secret qui, alors que tous les autres seraient divulgués, resterait toujours caché...*
> *Qu'il te suffise de savoir que, si tu chargeais mon cœur de ce que les autres cœurs ne peuvent supporter, le mien le pourrait :*
> *Sois fière, j'accepterai; temporise, je patienterai; orgueilleuse, je me ferai petit; fuis, j'avancerai; parle, j'écouterai; ordonne, j'obéirai!*

Enfin, quoique moins affirmé toutefois que chez nos troubadours où, comme on le verra, ce thème occupe une place de premier rang, la notion de la vertu ennoblissante de l'amour; le calife Sulaimân al Musta'în a dit :

> *Ne blâmez pas un roi de s'abaisser ainsi devant l'amour, car l'humiliation de l'amour est une puissance et une seconde royauté!*

Et pourtant cet amour arabe n'est pas tout à fait identique à notre amour courtois : même compte tenu des transpositions que suppose le passage de l'une à l'autre civilisation, ce n'est pas tout à fait la même atmosphère. D'abord, l'amour arabe a très souvent été, comme l'amour grec, un amour pédérastique, ce qui l'oppose au caractère strictement hétérosexuel de l'amour des troubadours. Déjà Ibn Dawûd avait dédié son *Livre de la fleur* non à une Dame mais à son ami Ibn Jâmi' qui, rapporte L. Massignon, lui avait inspiré tout jeune, dès l'école, un dévouement passionné qui devait durer jusqu'à la mort. Passion partagée comme en témoigne l'anecdote : « Un jour Mo*h*ammad Ibn Jâmi' était allé au *h*ammâm; après s'être fait masser le visage, il se voila et remonta à cheval pour rejoindre Ibn Dawûd. Quand celui-ci le vit arriver, le visage voilé, il crut à un accident et s'écria : « Qu'y a-t-il? – Je viens de voir mon visage dans un miroir, si beau que je l'ai voilé, car j'ai désiré que personne ne le vît avant toi. » Et là-dessus, Ibn Dawûd s'évanouit! »

Pareillement, les poètes andalous ont célébré autant d'adolescents aux yeux noirs que de jolies filles et là même où ils s'adressent à une femme, nous restons loin de la Dame des troubadours, toujours exaltée et considérée par le poète comme supérieure, sur tous les plans et d'abord socialement. On a certes relevé quelques faibles indices d'une relative émancipation de la femme en pays andalou (par rapport au reste du monde musulman), et la tradition connaît quelques femmes de lettres, surtout de sang royal; mais le plus souvent, la femme que chantent ces poètes est une esclave, *djariya*, l'une de ces musiciennes, chanteuses et danseuses qui étaient l'ornement du harem et de la vie de plaisir.

Dans ces conditions, il n'est pas possible de considérer l'amour courtois, tel qu'il s'incarne dans la lyrique de nos troubadours, comme un simple décalque de l'amour andalou: l'un n'a pas été emprunté tel quel à l'autre. Je ne nie pas que celui-ci ait pu influencer celui-là, mais la « source » arabe ne serait, au mieux, qu'un des éléments au moyen desquels le génie original des poètes d'Oc aura élaboré, combiné, sa synthèse. Il faut souligner enfin, une fois de plus, que la réalité de cette influence arabe demeure, à ce jour, purement hypothétique : nous n'avons pas encore mis la main sur le témoignage décisif; il eût fallu posséder un texte nous apprenant que le père de Guillaume IX avait ramené jusqu'à Poitiers une des chanteuses échues dans sa part lors du partage du butin fait à Barbastro; la présence de musiciennes arabes est attestée dans les cours espagnoles du Nord, Léon ou Navarre; il faudrait qu'elle le fût en deçà des Pyrénées... Jusqu'à plus ample documentation, les analogies signalées entre les deux styles érotiques peuvent très bien s'expliquer par deux développements parallèles et indépendants; le phénomène se rencontre souvent dans deux civilisations contemporaines; il serait facile de multiplier les observations attestant la symétrie de la chrétienté médiévale et de l'islam : chevalerie, héraldique, etc.

Miniature des *Cantigas de Santa Maria*

Du *zadjal* andalou, au *versus* aquitain.

Je n'ignore pas que les tenants de la thèse arabisante sont allés beaucoup plus loin : ils ont cru pouvoir l'appuyer de considérations tirées non plus du fond mais de la forme de ces deux lyriques. « La théorie arabico-andalouse pose avant tout un problème de métrique », a écrit un de ses partisans les plus résolus, R. Menéndez Pidal. Admettons en effet qu'aucun de nos troubadours n'ait acquis une connaissance de l'arabe suffisante pour pouvoir comprendre les vers de ces poètes andalous (c'est bien en effet l'impression qui se dégage d'un témoignage comme celui, cité plus haut, d'Ibn Haiyûn); la seule audition de leur musique aurait pu suffire à leur suggérer des schémas prosodiques qu'ils auraient ensuite adoptés. De fait, la structure strophique, si raffinée on l'a vu, des troubadours présente des analogies remarquables avec celles de la lyrique hispano-arabe.

On a souligné l'existence, chez celle-ci, de formes poétiques originales comme le *muwashshah*, qui aurait été créé en Andalousie dès la seconde moitié du IXe siècle; il utilise des formules de rime du type suivant (j'ai choisi le cas le plus simple, car les choses se compliquent rapidement) :

— A — A
— B — B — B
— A — A
— C — C — C
— A — A

Etc. Soit en tout, après un prélude (qui peut être omis) cinq à sept strophes de quatre vers. Le *muwashshah* utilise l'arabe classique, à l'exception du dernier vers ou *khardja*, auquel il est recommandé de donner un tour bizarre et inattendu et qui est rédigé soit en langue romane (comme dans les exemples cités plus haut), soit en arabe vulgaire. Lorsque le poème tout entier est écrit dans ce dialecte usuel (un peu comme, en pays chrétien, quand on abandonne le latin d'église pour le roman), le *muwashshah* devient le genre appelé *zadjal*, qui fut illustré en particulier par le poète Ibn Quzmân de Cordoue (1078/80-1160). Or, il est bien connu que cette strophe « zadjalesque », du type AAAB, est bien attestée chez les troubadours, et notamment chez les plus anciens d'entre eux, Guillaume IX, Marcabrun.

Est-ce à dire, ici encore, que l'hypothèse d'une dépendance immédiate doive s'imposer? On est surpris par la facilité avec laquelle les partisans, volontiers enthousiastes, de la thèse arabe passent du possible au probable et certain. On ne peut, nous l'avons dit, séparer la poésie des troubadours de leur musique. J'estime que rien n'est moins arabe que celle-ci : il a fallu beaucoup d'aveuglement à J. Ribera pour voir « une pure *jota* aragonaise » dans la mélodie, sobre et grave, du *lavador* de Marcabrun. La musique andalouse, elle, est toujours vivante en Afrique du Nord, telle qu'on peut l'entendre, au Maroc ou en Tunisie, et dans la mesure où la tradition orale ne l'a pas trop déformée, elle implique une esthétique, de style très oriental, tout à fait étrangère aux mélodies de nos troubadours : celles-ci manifestent, surtout chez les premiers, une parenté indéniable avec le chant grégorien et la tradition issue de lui.

Je n'hésiterai pas, pour ma part, à prendre nettement parti dans cette question encore si chaudement disputée : en ce qui concerne la forme, poétique et musicale (je dis bien la forme : les problèmes du fond sont beaucoup plus complexes et nous allons les retrouver), je me rallie pleinement à la thèse communément appelée liturgique, ou mieux para-liturgique, telle qu'elle ressort notamment des recherches de H. Spanke et J. Chailley.

Elle s'installe, dès le départ, sur un terrain beaucoup plus solide : la magnifique collection de quelque vingt manuscrits rassemblés au Moyen Age dans la bibliothèque de l'abbaye Saint-Martial de Limoges (et passés depuis à la B. N. à Paris), manuscrits d'origine aquitaine qui nous font connaître, dans la région même et au moment où vont apparaître les premiers troubadours, un foyer de création artistique, actif, original. Les œuvres qui en sont issues appartiennent au genre appelé

« trope » qu'on peut définir (il faut ici aussi simplifier : le genre se ramifie en plusieurs espèces) comme une pièce lyrique indépendante insérée à l'intérieur de la liturgie. Créé sans doute vers 862 à Jumièges d'où il fut importé à Saint-Gall qui lui donna son premier essor, le genre connaît une grande faveur à partir de la fin du xe siècle (le plus ancien des manuscrits de Saint-Martial, copié vers 950, rassemble l'apport de ces premières œuvres para-liturgiques, venues de Saint-Gall et d'ailleurs). La grande floraison de l'école aquitaine se situe immédiatement avant l'apparition des premiers troubadours, comme en témoigne le fameux manuscrit *SM*1 (B.N. f. lat. 1139), copié entre 1096 et 1099 pour une abbaye Saint-Martin, quelque part en Périgord ou en Limousin. Nous sommes donc, ce qui n'était pas le cas pour le zadjal andalou, tout près, géographiquement autant que chronologiquement, de l'émergence du style nouveau avec Guillaume IX, le comte de Poitiers.

Or la technique des pièces contenues dans ce manuscrit est très proche de celle de nos premiers troubadours : vers syllabiques, accentuels (on note l'alternance des syllabes atones et accentuées), rimés; mêmes structures strophiques : la fameuse strophe zadjalesque (aux rimes AAAB) est bien attestée et peut parfaitement avoir été élaborée de façon indépendante à l'intérieur de cette tradition médio-latine : on l'observe, déjà presque complète, dans un acrostiche alphabétique composé à Saint-Gall au xe siècle. Il y a des analogies plus précises encore (car après tout le quatrain AAAB sur lequel on a tant discuté me paraît une forme encore trop élémentaire pour être bien caractéristique) : un exemple suffira. Quatre chansons de Guillaume IX, deux grivoises et deux courtoises, utilisent une strophe, harmonieuse et complexe, de huit vers (quatre de 8 syllabes, 2 de 4) sur deux rimes, qu'on peut symboliser par le schéma :

8	8	8	4	8	4
A	A	A	B	A	B

Le manuscrit *SM*1 l'utilise déjà pour une pièce en l'honneur des Saints Innocents :

In laudes Innocentium,
Qui passi sunt martirium,
Psallat chorus infantium :
Alleluia
Sit decus regi martirum
Et gloria!

Il ne peut s'agir cette fois d'une simple rencontre. Même parenté dans le style musical des mélodies; il existe des analogies frappantes entre le mouvement de la phrase, le rapport des mélismes et du syllabisme, les cadences d'origine grégorienne des plus anciennes mélodies de troubadours et du répertoire para-liturgique des manuscrits de Saint-Martial. Ainsi celle du *Pos de chantar*, la seule mélodie conservée de Guillaume IX, que nous avons citée plus haut, a bien la même allure que l'*Annus novus in gaudio* du ms. *SM*1. Quant au *Pax in nomine Domini*, de Marcabrun où Ribera voyait un écho de l'influence arabe et je ne sais quelle analogie avec une *jota* aragonaise, il présente aussi des ressemblances frappantes avec deux autres pièces du même répertoire : *Postquam celorum Dominus* et *Lumen Patris resplendit...*

La presque totalité de ces morceaux para-liturgiques sont sur des paroles latines; mais le passage du latin au roman (beaucoup plus facile d'ailleurs à concevoir que celui qu'il faudrait imaginer à partir de l'arabe) commence à s'y réaliser. Il s'est effectué de façon progressive, un peu, si l'on veut, comme le remplacement de l'arabe littéral par le vulgaire entre *muwashshah* et *zadjal*. Un manuscrit du xe siècle, conservé au Vatican, nous présente une aube en strophes de trois vers latins suivis d'un même refrain en deux vers romans; le *SM*1, antérieur rappelons-le à 1099, nous offre outre quatre doublets où la même pièce est traduite ou transposée en roman, une prière à la Vierge, directement composée en occitan : elle se chante sur la mélodie bien connue de l'*Ave maris stella* :

O Maria, Deu maire,
Deu t'es fils e paire :
Domna, preia per nos,
To fil lo glorios...

La technique, on le voit, est au point : il suffira de l'appliquer, non plus à des thèmes religieux mais à chanter l'amour profane et nous aurons la poésie des troubadours. Le lien originel entre celle-ci et ce que nous pouvons appeler l'École de Saint-Martial est enfin attesté par certains aspects du vocabulaire. Ainsi, comme le rappelle la biographie provençale de Pierre d'Auvergne, les pièces lyriques des troubadours n'étaient pas, à l'origine, appelées *chanson*, mais *vers* [77]; deux pièces de Guillaume IX commencent par *Farai un vers...* [78] Or le latin *versus*, pareillement employé au singulier sert à Saint-Martial à désigner le genre poético-musical dérivé du *trope* (celui qui se développera ultérieurement pour devenir le *conductus*) auquel appartiennent les pièces dont nous venons de souligner les analogies structurales avec les *vers* des premiers troubadours.

Il n'est pas jusqu'au nom même de *trobaire*, *trobador*, qui ne s'y rattache, avec le verbe *trobar* dont il dérive. Le fait que « trouver » subsiste en français, avec le sens très général que *trobar* avait aussi fini par prendre en occitan, ne doit pas dissimuler au lecteur le petit problème que pose sa substitution au latin *invenire*. On s'est donné beaucoup de mal pour découvrir à *trobar* une étymologie arabe (la racine *tsariba*, « évoquer une émotion de joie »?) Plus récemment on a proposé une autre dérivation : un manuscrit astrologique arabo-latin du XIIe siècle nous montre que le verbe arabe classique *daraba*, au sens de « toucher (un instrument de musique) », était d'un usage commun en Espagne où il se prononçait *drab*; à partir de là on conjecture intrépidement que « la prononciation dut tendre à la longue vers *trob* », d'où (l'espagnol forme facilement un verbe à partir de l'arabe au moyen du suffixe -ar) le verbe *trobar* serait passé en Occident et aurait désigné proprement l'art du musicien plutôt que celui du poète... et voilà pourquoi votre fille est muette! Il y a eu aussi un romaniste assez prosaïque pour le rattacher au latin *turbare*, « troubler », à savoir l'eau, pour attraper le poisson dans la pêche à la bouille! Il est plus sûr de dériver *trobar* d'un latin médiéval *tropare*, « composer des tropes » (le substantif *tropus* est attesté dans le latin chrétien depuis le IVe siècle au sens de « formules mélismatiques d'un chant orné »).

cum . tu o ditz . certi . alu . medo . e maitrei E go iug' Ancela soi

dti mirideu . sicum . tuo dit . ocretu . maire . ferm . damri deu E p

L angels . gl . deu cel . uengut . ela domp na . la creut . p tul . nesme

erum bit D eu E u uos aicht . montu lan . euos . duas . ena uan

ch a ques . uers . nou sab . nos ian D eiur . VERS . S . MAR

2.

O maria . deu . maire . deu tes . e fill . e paire . Domna . piria . p

tu fil . le glorios . E lo pair . ass amen . p ia . e tota ien E cel nonus

coz . tor nat . nos . es aplor . I ua creet . serpen . uma gel . res plan

E sonos onuai gen . eleus . nes . om . uirnoien E arde femna nasq

Le mythe des “ origines ”

Si de la sorte le mystère des origines paraît bien éclairci en ce qui concerne la forme, il n’en est pas de même du fond : on ne peut faire dériver de cette lyrique religieuse para-liturgique les thèmes fondamentaux que développe la poésie des troubadours, ou, pour la résumer d’un mot, l’idéal de l’amour courtois. Lorsqu’on quitte les *versus* de Saint-Martial pour passer aux chansons de Guillaume IX et de ses successeurs, on entre dans un monde entièrement différent, un tout autre système d’idées et de sentiments; en gros, c’est passer du divin à l’humain.

On peut sans doute établir quelques rapprochements entre les deux répertoires, mais ceux-ci restent d’ordre formel (l’usage, par exemple, de l’exorde – invitatoire) ou d’importance accessoire : l’évocation du printemps, si chère aux troubadours, qu’elle deviendra chez eux un poncif, n’est pas étrangère aux tropes limousins; elle sert en particulier à introduire les pièces du temps de Pâques. Mais rapprocher comme on l’a fait la « Joie » des troubadours du *gaudium paschale* liturgique est tout à fait artificiel, car enfin l’exaltation heureuse de nos poètes s’adresse à un bien autre objet que la Résurrection du Christ! Aussi bien c’est Noël plus encore que Pâques que chantaient les clercs de Saint-Martial et l’éloge du printemps apparaît chez eux sous l’influence de la poésie latine d’inspiration profane (nous retrouverons bientôt celle-ci), à travers laquelle il se rattache à un thème bien connu de la chanson populaire.

Mais il ne serait pas moins illusoire de chercher l’origine du lyrisme courtois dans le folklore, les chansons de danse printanières, et spécialement celles de Mai (c’était la thèse soutenue jadis par Gaston Paris). Inutile de rouvrir à nouveau le dossier du débat « Art populaire et Art des artistes » : comme tout art aristocratique, celui des troubadours intègre un filon folklorique, manifeste un intérêt pour la chose populaire. Exemple de cette curiosité : le chansonnier *X*, « chan-

uscrit de saint Martial de Limoges

sonnier de Saint-Germain », conserve une charmante pièce en l'honneur, sinon de la Belle de Mai, du moins de la « Reine d'Avril », *regina avrilhoza* :

> *A l'entrada del tems clar*, e-i-a,
> *Per joya recommencar*, e-i-a,
> *E per jelos irritar*, e-i-a,
> *Vol la regina mostrar*, e-i-a,
> *Qu'el'es si amoroza...* [79]

Quant à savoir ce qu'est au juste cette *ballada*, je n'ose pour ma part en décider. C'est autour d'elle que G. Paris avait édifié son mythe des fêtes de Mai, survivances du culte païen de Vénus, sortes d'orgies rustiques pendant la durée desquelles les jeunes femmes auraient échappé à l'autorité chagrine de leurs maris. Est-ce une chanson authentiquement populaire, ou déjà une imitation savante? Est-elle écrite en dialecte poitevin (G. Paris situait l'origine de notre poésie dans une région intermédiaire entre le Nord et le Midi), ou une langue artificielle, mélange d'Oc et d'Oïl? Ce qui est sûr, c'est que l'amour courtois se présente comme quelque chose de tout à fait différent de ces simples amours paysannes : à supposer qu'il en soit issu, il faudrait encore expliquer comment s'est produite la mutation.

Je n'attache pas plus de valeur à ce qu'on a appelé la « klassisch-lateinische Theorie » : divers érudits (W. Schröter, D. Schludko, d'autres encore) ont sans doute relevé chez les troubadours un assez grand nombre d'emprunts aux classiques latins, et notamment à Ovide (St. Stronski en relève une quinzaine, provenant du seul Ovide, chez Fouquet de Marseille). Souvenirs des *Métamorphoses*, quand Arnaud Daniel parle d'Atalante et Méléagre, quand Bernard de Ventadour, évoquant le beau miroir des yeux de sa Dame, déclare « s'y être perdu comme se perdit le beau Narcisse en la fontaine » :

> *Qu'aissi·m perdei cum perdet se*
> *Lo bels Narcisus en la font* [80]

Et surtout citations, adaptations, imitations des *Amores* ou de l'*Ars Amatoria*; la référence est parfois tout à fait explicite, ainsi chez Rigaud de Barbezieux (mais on en pourrait citer bien d'autres) :

> *Qu'Ovidis diz el libre que no men...*
>
> Ovide le dit au livre qui ne ment [81].

L'analogie va parfois très loin : de même qu'Ovide, après l'*Art d'aimer* avait écrit les *Remedia amoris*, André le chapelain et frère Matfre Ermengau ont ajouté, en contre-poison à leurs traités d'amour, l'un son IIIe livre *De reprobatione amoris*, l'autre, 714 vers de *Remedis per escantir* (éteindre, effacer) *folia d'aymador* – mais c'était aussi, pour ces deux clercs, manière de rassurer leur orthodoxie morale!

Il n'y a rien, là, qui puisse étonner le lecteur : poètes lettrés, poètes savants, nos troubadours participent tout naturellement à la renaissance classique de leur siècle. Mais il suffit de confronter ces « sources » (au sens le plus strictement philologique du terme) avec l'usage qu'ils en ont fait pour constater qu'ils se situent à l'opposé du poète latin. Souvenons-nous du jugement si juste de Baudelaire : « La mysticité est l'autre pôle de cet aimant dont Catulle et sa bande (Ovide!), poètes brutaux et purement épidermiques, n'ont connu que le pôle sensualité. » Alors même qu'ils suivent leurs modèles païens à la lettre, ils imprègnent celle-ci d'un tout autre esprit : à l'ironie légère d'Ovide, à cette « Pikanterie » dont le sourire sert à voiler ce qui ne serait que grossière paillardise, succède maintenant je ne sais quel ton sérieux, presque pesant, quelle gravité toute religieuse. C. S. Lewis a pu proposer comme définition, au moins provisoire, de l'amour courtois : « Ovid misunderstood », Ovide travesti, ou du moins transposé. Il reste à comprendre pourquoi le Moyen Age a si délibérément compris de la sorte Ovide à contresens.

Nous sommes donc toujours à la recherche d'une explication. Il y a bien sans doute ce qu'on pourrait appeler la thèse marxiste, encore qu'elle ait été formulée en Angleterre par Violet Paget aux beaux temps du mouvement esthète, dans la décade mauve : une fois données la structure sociale de la féodalité, les conditions économiques de la vie de château, il en résulte un certain style de la vie de cour qui conduirait en quelque sorte nécessairement, à un certain primat de la Dame. Ne pensons pas seulement aux circonstances exceptionnelles qui amenèrent certaines grandes dames à jouer un rôle politique important et parfois à régner par elles-mêmes : Aliénor d'Aquitaine, Azalaïs de Béziers-Carcassonne, Ermengarde de Narbonne... Plaçons-nous dans le cas le plus général : dans tout château, la Dame, l'épouse du seigneur, règne en maîtresse sur la mesnie des chevaliers, des écuyers et sur les vassaux qui composent sa petite cour. C'est d'elle et d'elle seule que rayonnent le charme et la grâce qui peuvent venir illuminer l'austère atmosphère de cette garnison sous les armes; c'est tout naturellement vers elle que se polarisent les rêves, que monteront les hommages, émus mais toujours déférents. L'exaltation de la femme aimée, qu'exprime la poésie des troubadours, serait en quelque sorte un reflet de cette différence de niveau social.

Tout cela est bien un peu théorique : cette construction *a priori* est encore trop sous la dépendance de l'image, que nous avons rejetée dès la première page, du jouvenceau soupirant aux pieds d'une noble dame, pour occuper les loisirs et le cœur de celle-ci tandis que son seigneur et époux est parti au loin guerroyer... D'abord les maris n'étaient pas si absents : ils n'étaient pas toujours partis pour la croisade et les guerres féodales ne duraient jamais longtemps (le service d'ost est fixé à quarante jours); même à la croisade, les femmes ne tolérèrent pas longtemps d'être exclues, témoin précisément le cas d'Aliénor qui accompagna outre-mer son premier époux, le roi de France Louis VII lors de la seconde Croisade, celle que saint Bernard avait prêchée à Vézelay. Mais surtout je ne vois pas de qui, de quelle femme, aurait pu se considérer, socialement, inférieur un aussi haut et puissant seigneur que notre duc Guillaume d'Aquitaine (et cela reste vrai, toutes proportions gardées, d'un vicomte Ebles de Ventadour, d'un prince Rudel de Blaye, voire du simple châtelain de Hautefort, ce fier Bertrand de Born) : l'humilité à l'égard de la Dame qui s'exprime dans la chanson courtoise vient d'une région de l'âme qui se situe à un niveau beaucoup plus profond que l'esprit de classe!

S'il n'est pas possible d'opérer de la sorte une réduction de l'amour courtois à son conditionnement social, il ne faut pas nier que la poésie des troubadours se soit nourrie de l'humus féodal où elle plonge ses racines. Ainsi la subordination de l'amant par rapport à sa Dame a été tout naturellement assimilée à la dépendance personnelle qui liait le vassal au suzerain; pour désigner leur Dame, les troubadours utilisent, parallèlement à *Domna*, le terme caractéristique de *Midons*, « Monseigneur » (au masculin : c'est bien inutilement qu'on a cherché à rapprocher cet usage d'analogies arabes; il est bien plus simple d'y voir un transfert du vocabulaire féodal, avec peut-être une résonance, blasphématoire, chrétienne). Ils parleront, à l'image du service vassalique, du service d'amour, de fidélité, d'hommage : tous ces mots sont à prendre dans leur acception technique. Dans le rituel de l'hommage féodal intervenaient déjà le don de l'anneau, le baiser reçu par le fidèle : on imagine facilement avec quel empressement les troubadours ont emprunté et transposé ces rites!

La société féodale était non seulement guerrière, mais aussi très processive, procédurière. Lorsque dans la vie mondaine des milieux courtois se développa le goût des discussions portant sur les problèmes, et la casuistique, de l'amour, ce badinage prit tout naturellement une forme juridique. Le *De arte honeste amandi* rédigé vers 1186 par André le Chapelain à la cour de la comtesse Marie de Champagne, contient une série de consultations sur des problèmes de galanterie, rédigées sous forme d'arrêts en bonne et due forme, et attribuées, soit à la comtesse, soit à sa mère, la reine Aliénor ou à d'autres dames illustres, comme la vicomtesse Ermengarde de Narbonne. C'est en brodant là-dessus que la fantaisie de Jean de Nostredame avait imaginé l'existence de ces « cours d'amour » dont la réalité s'imposait encore aux contemporains de Stendhal (« Il y a eu des cours d'amour en France, de l'an 1150 à l'an 1200. Voilà ce qui est prouvé... Il y avait une législation établie pour les rapports des deux sexes en amour, aussi sévère et aussi exactement suivie que peuvent l'être aujourd'hui les lois du *point d'honneur* ») : l'erreur avait consisté à prendre pour une institution régulière ce qui n'était que jeu de société.

Mais on doit aussi invoquer l'influence de l'infrastructure sociale pour expliquer des caractères plus importants : tous les historiens ont souligné le fait que l'amour courtois était, par essence, un amour adultère : un théoricien, comme André le Chapelain, est formel sur ce point : pas question d'amour entre épouse et mari ; il invoque à cet effet une décision particulièrement solennelle de la comtesse de Champagne. « Mariage et amour sont deux domaines étrangers l'un à l'autre », fait-il déclarer à Ermengarde de Narbonne, d'où cet arrêt surprenant qu'un mariage survenu entre-temps (avec un tiers) ne doit pas mettre fin, ni obstacle, à un amour commencé. La part faite aux stylisations conventionnelles, il faut rappeler à ce sujet que dans la société féodale le mariage des femmes nobles faisait rarement intervenir des questions de sentiment. Le suzerain mariait l'héritière d'un fief sous sa dépendance à l'homme qui servirait le mieux ses intérêts. Dans les grandes familles, quasi souveraines, c'étaient des alliances dynastiques, conclues ou rompues en fonction d'intérêts politiques : comme elles étaient toutes, à la longue, plus ou moins apparentées, on pouvait toujours invoquer la consanguinité, l'insuffisance ou l'irrégularité d'une dispense, pour faire proclamer la nullité d'une union.

Nous avons eu l'occasion d'évoquer la carrière matrimoniale, assez complexe, d'un Guillaume IX (dont le père déjà s'était marié trois fois) ou de sa petite-fille Aliénor : sait-on qu'entre son divorce d'avec Louis VII et son second mariage, elle fut l'objet de deux tentatives d'enlèvement de la part de Thibaut V de Blois et de Geoffroy Plantagenet, frère cadet de son futur époux le roi Henri ? L'attrait du duché d'Aquitaine y était pour quelque chose, au moins autant que ses beaux yeux. Il y eut des destinées plus romanesques encore : je retiendrai, parce que nombre de troubadours l'ont chantée

(Pierre Vidal, Bertrand de Born, Guiraud de Bourneil, Arnaud de Mareuil, Perdigon, Guiraud de Galanson, Fouquet de Marseille), celle de la princesse Eudoxie Comnène, fille du *basileus* de Constantinople Manuel. Elle débarqua un jour à Montpellier, devant conclure le mariage arrangé entre elle et le roi Alphonse II d'Aragon; mais celui-ci avait entre-temps épousé Sanche de Castille; on évita un voyage inutile en l'accordant au seigneur Guillaume de Montpellier. N'ayant eu d'elle qu'une fille, celui-ci la répudia au bout de douze ans de mariage, l'enferma sous bonne garde dans un couvent d'Aniane et s'empressa de se remarier avec une princesse aragonaise. Et que dire de la pauvre Marie, la fille d'Eudoxie, trois fois mariée, à Barral de Marseille, Bernard de Comminges et Pierre d'Aragon, une fois veuve et deux fois répudiée? On comprend que dans tout cela il fût peu question de l'Amour...

On a voulu aussi chercher l'origine de celui-ci, non plus comme précédemment loin vers le sud ou vers l'Orient mais dans une direction tout à fait opposée : un celtisant, J. Marx, nous a suggéré de regarder vers les littératures irlandaise et galloise où apparaissent ces mystérieuses figures de femmes-fées, habiles aux enchantements, dont la beauté même a comme un rayonnement suspect venu de l'Autre Monde; dans l'amour celtique, c'est toujours la femme qui joue le rôle de premier plan : c'est elle qui choisit l'homme, le conquiert, le lie et l'enchaîne à son service, lui imposant de la suivre et de lui rester fidèle...

En réalité ces thèmes nous entraînent assez loin du système idéologique aux contours très précis qui a été celui des troubadours et on ne peut retenir des rapprochements suggérés que la notion très générale d'une exaltation de la féminité. D'autre part une telle influence de la mentalité celtique ne pourrait guère être conçue que sous la forme, très hypothétique, d'une résurgence du vieux fonds ancestral, à travers la sédimentation des siècles latins, barbares, chrétiens. Une influence contemporaine paraît exclue : si, comme on l'a vu, les troubadours n'ont pas ignoré la « matière de Bretagne » – le roi Arthur, Tristan et Yseult, le Graal –, elle ne joue chez eux qu'un rôle marginal et d'appoint, fournissant métaphores et comparaisons. Il n'y a pas de lien essentiel entre l'amour courtois et ces thèmes inspirés de légendes insulaires et parvenus dans les pays français par des intermédiaires anglo-normands. Une étude précise de la chronologie des œuvres de Chrétien de Troyes permet de saisir cette dissociation : on y voit l'élément courtois s'introduire sous l'influence provençale et apparaître dans le *Lancelot*, écrit dans les années 1177-1181, alors qu'il est encore absent d'*Erec et Enide* de 1170 : dans ce poème, qui traite la légende galloise de *Gereint et Enid*, il n'est question que d'amour conjugal, et celui-ci loin d'apparaître comme une source de prouesse et valeur a rendu au contraire le malheureux (ou trop heureux) Erec « récréant d'armes et de chevalerie ».

Il reste une autre piste à explorer, beaucoup plus directement accessible, celle de la poésie médio-latine, non plus religieuse comme les *versus* de Saint-Martial mais, quoiqu'elle aussi œuvre de clercs, d'inspiration séculière, profane. A côté de la veine érotique, volontiers gaillarde, exploitée par les clercs en rupture de ban, *clerici vagantes* ou goliards (celle qui se prolonge, en français, dans l'œuvre de Villon), on trouve une littérature elle aussi sentimentale, mais d'un ton beaucoup plus réservé où la gravité s'unit à la délicatesse. Elle fut illustrée, précisément au tournant du XIe au XIIe siècle par des poètes comme Marbode (1037-1123), né et mort à Angers, après avoir été évêque de Rennes, Hildebert de Lavardin (1056-1133), évêque du Mans puis archevêque de Tours, Baudry de Bourgueil – un moine celui-ci et non plus clerc séculier, né en 1046 à Meung-sur-Loire et mort en 1130, ayant été abbé de Bourgueil et archevêque de Dol.

Nous sommes comme on le voit dans le pays de Loire, ce qui ne nous entraîne plus aussi loin du Limousin ou du Poitou (mais cependant on ne saisit pas de rapports effectifs entre ces poètes latins et nos premiers troubadours). Ces poètes latins étaient les héritiers d'une longue tradition dont R. R. Bezzola a reconstitué l'histoire, remontant jusqu'au VIe siècle et à saint Fortunat – Venantius Fortunatus de

Ravenne, l'un des derniers poètes de l'Antiquité qui, après une vie aventureuse était venu se fixer à partir de l'an 576, comme intendant, puis aumônier, mais aussi poète attitré, auprès de sainte Radegonde, veuve du roi Clotaire Ier et abbesse du monastère de Sainte-Croix à Poitiers. Bien avant d'être découverte par ce grave historien, l'atmosphère sentimentale de ce milieu avait été mise en valeur par Rachilde, la femme d'A. Vallette du *Mercure de France*, dans son roman *le Meneur de Louves* (1905) : il ne faut pas séparer science et littérature, le roman historique est aussi un instrument de la connaissance du passé!

« Nous devons considérer sainte Radegonde, écrit R. R. Bezzola, comme la première femme de la nouvelle classe dirigeante qui ait protégé la poésie, l'ait appréciée, ait composé elle-même des vers... » Faut-il aller plus loin et soutenir que Radegonde a été la première femme à avoir été « aimée » au sens moderne du mot? Je n'irai plus jusque-là aujourd'hui et écrirai simplement « courtisée » : les hommages toujours très respectueux, que Fortunat adresse à la reine-abbesse, ne s'élèvent jamais jusqu'à la « passion » (n'oublions pas qu'elle avait dans les 47 à 50 ans quand il l'a connue) et se maintiennent au niveau d'une aimable galanterie, du madrigal. Ce sont de petits vers pour remercier d'un cadeau, d'une corbeille de fruits ou de fleurs; j'ai retenu cette pièce où le poète s'émeut de reconnaître la trace des doigts de Radegonde imprimée sur les bords d'un plat de crème qu'elle lui avait fait porter :

Aspexi digitos per lactea munera fixos...

Du plus pur troubadour? Oui, au sens XVIIIe siècle du mot – mais nous sommes loin des cris de vraie passion d'un Bernard de Ventadour!

Du VIe au XIIe siècle, nous ne cessons de rencontrer de ces tendres messages poétiques adressés à une religieuse, des hommages rendus à la beauté et à l'esprit d'une souveraine, ou d'une dame de haut rang. Comme dans le cas de Radegonde, les deux se trouvent plus d'une fois coïncider, comme c'est le cas pour les filles spirituelles de saint Pierre Damien (on est surpris de rencontrer ce redoutable polémiste, cet ascète intransigeant dans les fastes de la galanterie, mais il y a dans ses lettres une politesse raffinée, qui se nuance de quelque tendresse), entrées en religion à Rome après leur veuvage et qui s'appelaient Hermesende, femme du duc d'Aquitaine Guillaume VII, ou la sœur de celui-ci l'impératrice Agnès, femme d'Henri III – l'une et l'autre tantes de notre Guillaume IX.

Il entre naturellement beaucoup de littérature dans cette poésie amoureuse, divertissement de clercs, modulée sur la double flûte d'Ovide et du *Cantique*. Il faut relire, par exemple, les pièces adressées par Baudry de Bourgueil à une jeune fille, Muriel, à des nonnes, Emma, Constance, visiblement écrites de la même main qui lui a fait composer des *Héroïdes* à la manière d'Ovide (lettre de Pâris à Hélène, d'Hélène à Pâris...) : c'est un chaste marivaudage où, tout en louant, en termes stéréotypés, la beauté de correspondantes qu'il n'a jamais vues (tes yeux sont des étoiles, tes blonds cheveux comme de l'or, ton cou plus blanc que les lis ou la neige récente, tes dents plus que l'ivoire ou le marbre de Paros...), Baudry proteste de la pureté de ses sentiments autant que de leur ardeur :

Te vehementer amo, te totam totus amabo...

Un moraliste aujourd'hui s'inquiéterait de ces amours archiépiscopales (déjà André le Chapelain a tout un chapitre pour déconseiller de courtiser les nonnes), mais cela a fait aussi partie des mœurs médiévales : qu'on se souvienne de l'idylle charmante et toute pure qui se noua, en plein XIVe siècle, entre le grand maître de l'*Ars nova* polyphonique, Guillaume de Machault, chanoine de Reims, sexagénaire, et une jeune fille noble, Péronne, d'Armentières?

Les différences qui opposent l'art de ces poètes latins à celui des troubadours sont trop évidentes pour qu'il soit nécessaire de les souligner, mais sans vouloir exagérer leur influence possible, il est permis d'estimer (en reprenant les termes mêmes de R.R. Bezzola qui a formulé l'hypothèse avec une prudente réserve) qu'ils leur ont au moins « frayé le chemin », en montrant qu'il était possible de faire autre chose en poésie que d'étaler crûment des exploits brutaux, qu'on pouvait exprimer avec délicatesse des sentiments plus raffinés; ils ont certainement créé et mis au point cet élément, secondaire peut-être mais constitutif, de la courtoisie qui s'appelle la galanterie; d'autre part l'existence même de cette poésie médio-latine, qui utilise pour chanter des amours profanes les mêmes formes poétiques utilisées, d'autre part, pour composer des hymnes religieuses, rend tout à fait vraisemblable l'hypothèse, que nous avons formulée plus haut, sur le passage du sacré au profane, à propos de l'école de Saint-Martial.

Hommage à la dame
(Sceau de Raymond de Mondragon)

Troubadours et Cathares

Nous avons jusqu'ici imposé au lecteur la méthode, que Péguy reprochait tant à Lanson, du « chemin de fer de Grande Ceinture » : on ne peut pas dire cependant que ce long circuit à travers les différentes thèses sur l'origine de l'amour courtois aura été tout à fait inutile : chemin faisant, nous avons progressivement resserré notre saisie de l'objet, chaque fois que nous avons pu le contre-poser à ce qu'il n'était pas. Il faudrait maintenant enfin l'aborder de face et nous confronter avec sa réalité même. Un dernier fantôme se dresse en travers du chemin : l'hypothèse cathare. Il ne serait pas nécessaire de s'attarder à l'exorciser si le talent de Denis de Rougemont ne l'avait accréditée auprès du public lettré, beaucoup plus qu'elle ne le mérite.

Non qu'il l'ait lui-même formellement adoptée (en dernière analyse Rougemont se retranche derrière l'hypothèse minimale « que le lyrisme courtois fut *au moins inspiré* par l'atmosphère religieuse du catharisme »), mais son livre, fallacieux et charmeur, ne cesse de flirter avec l'idée, si bien qu'elle finit par s'imposer au lecteur comme une tentation obsédante : les troubadours ne seraient-ils pas, plus ou moins, des croyants de l'Église cathare, des chantres de son hérésie? En apparence, selon la lettre, leur poésie célèbre l'amour d'une femme quelconque, en réalité elle exprimerait le mystère d'une passion proprement religieuse. Sous sa forme stricte, l'hypothèse n'a été défendue que par des esprits tout à fait farfelus, Eug. Aroux (*Dante hérétique, socialiste et révolutionnaire*, 1853), le sâr Péladan, Otto Rahn... Mais, nous dit-on le plus sérieusement du monde, « si la Dame n'est pas simplement l'Église d'Amour des cathares, ni la Maria-Sophia des hérésies gnostiques, ne serait-elle pas l'*Anima*, ou plus précisément encore : la part spirituelle de l'homme, celle que son âme emprisonnée dans le corps appelle d'un amour nostalgique que la mort seule pourra combler »?

Il n'y a là rien qui puisse résister à quelques instants de réflexion critique. Le sophisme fondamental est celui de tous les maniaques de l'ésotérisme; on prend un texte, on en refuse le sens obvie, on y infuse un sens secret et on se redresse triomphant : « Prouvez-moi qu'il est impossible! » Ainsi, dans la grave *Revue de l'histoire des religions* (1938), L. Varga se demande : « Pierre Cardenal était-il hérétique? » « N'est-ce pas plus que vraisemblable? » Mais les textes invoqués ne manifestent en fait aucune hérésie dogmatique! On décide alors que, le catholicisme occitan étant très tiède, « dès que nous entendons parler d'ascétisme, et que nous apercevons un élan vers une morale austère, nous pouvons être sûrs de marcher sur un terrain hérétique ». Dès lors les textes les plus innocents deviennent suspects, les plus clairs mystérieux. Négligeant la fameuse règle des dénombrements entiers, on ne compare les vers de P. Cardenal qu'à des textes cathares, sans prendre garde que les uns et les autres ne contiennent rien d'autre que les principes communs à toutes les Églises ou sectes chrétiennes. Et l'on conclut : « L'hypothèse n'a rien d'étonnant... le soupçon devient presque certitude » – oui, pour qui le veut bien!

En fait, aucun document ne permet de saisir la moindre collusion entre troubadours et cathares. Ce sont deux mouvements contemporains? Soit, mais, nous l'avons vu, le XIIe siècle occitan en a connu bien d'autres! Pourquoi l'hérésie albigeoise aurait-elle recouru à une telle tactique d'ésotérisme? Jusqu'à la croisade de 1209, elle avait pu s'afficher librement et avec une insolence croissante en pays languedocien. A défaut d'hérésie, on trouve certes de l'anticléricalisme chez bien des troubadours et notamment Pierre Cardenal, ce satirique (Jeanroy disait de ses *sirventés* qu'ils étaient « *les Châtiments* du XIIe siècle ». Je dirai plutôt, et ce n'est pas un moindre éloge : un Juvénal), mais c'est là dans la meilleure et la plus saine tradition de la chrétienté médiévale. Il y a sans doute, texte à vrai dire unique par sa violence, le fameux *sirventés* de Guillaume Figueira contre Rome « traîtresse », « trompeuse », *Roma enganairitz*, *Roma trichairitz*, mais ce tailleur toulousain, devenu jongleur en Italie, s'était mis au service de l'empereur Frédéric II de Hohenstaufen, et il ne faut pas prendre pour cathare une inspiration qui lui vient de l'esprit gibelin.

Il faut dire plus, l'idéal courtois s'oppose intrinsèquement à la théologie dualiste des néo-manichéens : quoi de commun entre leur idéal ascétique, leur condamnation radicale de la matière, de la chair, et nos troubadours éperdus d'enthousiasme devant la beauté physique de la femme, médiatrice d'absolu! On peut voir se manifester cette antithèse radicale dans un milieu culturel où des contacts entre idéologies se sont effectivement réalisés, celui des lettrés de Bagdad au IXe siècle. Ibn Dawûd, dont la théorie de l'amour 'odhrite présente comme on l'a vu des parallèles intéressants avec notre amour courtois, même s'il n'en constitue pas la source principale ou directe, Ibn Dawûd est résolument antimanichéen. Pour le manichéisme, on le sait, les âmes sont des particules de la substance divine qui, emprisonnées dans les corps, œuvres ténébreuses du principe mauvais, sont attirées en quelque sorte physiquement par le foyer divin dans lequel elles doivent venir se résorber, comme les parcelles de fer sont attirées par l'aimant. C'est comme manichéen qu'Ibn Dawûd condamna Al *H*allâj dans son arrêt fameux, parce qu'aux yeux de ce théologien zahirite l'élan mystique vers Dieu du Soûfî s'assimilait à cette conception de l'amour.

Pour en revenir à Rougemont et à son livre, je lui reprocherai cette fureur dialectique dans le creuset de laquelle s'abolissent les contradictoires et toute diversité se réduit à l'unité : tout conflue, se mêle et se confond, non seulement troubadours et cathares, mais courtoisie occitane et légendes celtiques (le Midi précathare se révèle apparenté aux Celtes gaéliques et gallois), le courant néo-manichéen et l'influence arabe (tant pis si celle-ci roule les flots contrastés d'Al *H*allâj et d'Ibn Dawûd) : tout cela ne vient-il pas de l'Orient, et pour finir représente dans l'homme occidental le retour d'un Orient symbolique? Je conteste surtout la valeur d'une assimilation entre l'amour courtois des troubadours et une définition de la « passion » issue tout entière à travers le *Tristan* de Wagner et son Schopenhauer du plus pur romantisme allemand.

Quel étrange contresens que de faire des troubadours les chantres de l'amour réciproque malheureux, eux dont le maître mot est « Joie »! Je ne les reconnais pas dans cet amour de mort, cette passion fatale qui exprimerait une volonté ténébreuse d'autodestruction, comme si les amants, dans le plus secret de leur cœur, obscurément, profondément, n'auraient jamais désiré que la mort, *la passion active de la Nuit* : c'est chez Novalis et les autres romantiques que se rencontrent cet idéal tragique et le symbolisme qui sert à l'exprimer (le jour étant le domaine des apparences, fragiles, caduques, la nuit au contraire celui de la réalité ultime), non chez nos poètes d'Oc, eux qui ne cessent de parler de *lum* et de *clartatz*. Ah! que Diego Zorzi a eu raison d'opposer l'alouette de Bernard de Vendatour, « qui meut de joie ses ailes » dans la lumière éclatante du soleil, éperdue de douceur, au sombre apologue nordique du roi Edwin de Northumbrie, que nous rapporte Bède le Vénérable, où l'âme humaine est comparée à un passereau qui, issu de la nuit, traverse un instant le hall illuminé du banquet pour s'enfoncer à nouveau dans la nuit froide et ténébreuse...

Su'l caval della Morte
Amor cavalca :

c'est Carducci qui parle, romantique malgré lui. On se souviendra utilement ici de l'essai, d'une lucidité cruelle, que Claude-Edmonde Magny a consacré aux héroïnes de Charles Morgan, déchirées, nous dit-elle, entre deux aspirations contradictoires : le bonheur ici-bas au sein de l'existence, ou une transcendance impersonnelle qui s'atteint dans l'extase finale de la mort. Or la même femme ne peut être à la fois et pour le même homme, la « femme pour la vie » et la « femme pour la mort, τοῦ βίου ἕνεκα ou au contraire τοῦ θανάτου ἕνεκα ». Il n'est que de parler grec pour s'entendre : l'amour des troubadours nous fait échapper à ce dilemme : c'est un amour εἰς τὴν ζωήν, pour la Vie, non la petite vie quotidienne ennuyeuse et facile, engluée dans la matière et la temporalité, mais la Vie où s'accomplit une plénitude de l'Être.

Répugnant à tout ésotérisme nous prendrons donc les textes relatifs aux troubadours pour leur valeur faciale : il s'agit bien quand ils nous parlent d'amour, d'*amor de mascle ab feme*, comme dit le bon frère Matfre Ermengau, d'une affaire menée entre un homme et une femme, l'un et l'autre bien réels.

L'amour courtois

Pris de la sorte tout bonnement, l'amour courtois apparaît d'abord comme un refus dédaigneux de limiter la chose à la seule satisfaction de l'instinct sexuel, comme une sublimation, une spiritualisation de l'élan élémentaire. La *cortezia* disparaît à partir du moment où (je cite toujours les vers didactiques du *Breviari d'Amor*) « chacun ne pense plus qu'à trouver le biais de posséder sa dame et avec elle aller au lit »,

E pessa quecs com puesc' aver
Sa dona et am lyey jazer... [82]

La grande découverte des troubadours, c'est que l'amour peut être autre chose, ou plus que le fleuve de feu, la flamboyante concupiscence de la chair. Aussi bien une telle attitude, faite de réserve, de respect, d'éblouissement, est-elle si difficile à concevoir, à partager? On peut soutenir raisonnablement que c'est là un des traits permanents de la sensibilité humaine, un des secteurs du cœur, au moins occidental. Attitude complexe, où peuvent entrer bien des composantes : des scrupules, le respect de tabous religieux ou sociaux (nous l'avons noté chez un Ibn Dawûd; à vrai dire nos troubadours ne s'en encombrèrent guère), la timidité d'un amour adolescent, cet amour encore chaste et déjà si ardent; peut-être ne peut-on bien comprendre les troubadours que si on les a découverts et aimés quand on avait seize ans...

Règle quatorzième du *De Amore* d'André le Chapelain : « L'apparition soudaine de l'aimée remplit d'épouvante le cœur de l'amant. » Qu'on se souvienne du rôle que joue, dans la *Vita Nuova*, le thème de la « chambre des larmes » où Dante, qui prétend raconter son amour d'enfant, court s'enfermer, loin de tous, loin surtout de Béatrice, parce que c'est trop à la fois de l'aimer et de la voir, parce qu'il faut lutter beaucoup pour pouvoir retourner vers elle, affronter sa présence et, devant elle, sourire sans trembler; chambre solitaire

Détail d'un ivoire du XIVe siècle)

où il est si délicieux de se repaître à loisir, de jouir de cet amour.

D'où l'inculpation de narcissisme à laquelle échappe difficilement un tel amour (« ils aiment mais ne s'aiment pas ») : sans doute l'amant aime d'un amour extatique, il sort de lui-même à la rencontre, à la révélation de l'aimée, mais c'est pour s'enrichir de cet amour, pour exulter du bonheur de l'aimer; sans doute il célèbre sa beauté, sa valeur, sa splendeur, mais tout à la « Joie », à cette jeunesse sans cesse renouvelée qui l'exalte au-dessus de lui-même, pense-t-il un seul instant à Elle, pour elle-même, à son bien, à son bonheur, comme on dit, à Elle? C'est là peut-être un peu excessif, mais il y a bien un peu de cela aussi, tout l'égoïsme du cœur adolescent, tellement occupé de soi-même!

Ce peut être aussi un raffinement morbide, le bas calcul d'une sensibilité détraquée, une technique savamment combinée pour compliquer l'expérience : ne pas épuiser d'un coup le désir, mais prolonger subitement son trouble délicieux. Nous avons rencontré ce masochisme alambiqué à Bagdad ou à Cordoue; les troubadours ne l'ont pas ignoré non plus. Les théoriciens sont formels sur ce point : « L'amour se fait d'autant plus fervent que l'*amplexus amantis* est plus rare et difficile », nous explique en son latin André le Chapelain; ou encore Matfre Ermengau (reprenant sans le savoir tels passages scabreux d'un Père de l'Église) : « Le plaisir de cet amour se détruit quand le désir trouve son rassasiement »,

Que'l gaug d'est' amor se delis
Quand lo dezirier se complis [83].

D'où leur étrange doctrine à l'éloge de la jalousie, « nourrice de l'amour », condiment salace à ne pas négliger...

De toute façon, il faut bien souligner combien il est équivoque, à propos de l'amour courtois, de parler de pureté, de chasteté. On a entassé beaucoup d'absurdités à ce sujet. Les discussions érudites tournent facilement au ridicule : au temps de la jeunesse de Nietzsche, on vit Erwin Rohde et Ulrich von Wilamowitz-Möllendorf se prendre à parti au sujet de la mélancolie des Etrusques : de même, vers 1938 ou 39, disputant d'érotique dans *Esprit*, nous posions gravement la question, à propos de nos troubadours (je parlerai latin cette fois) : *utrum copularentur?* A mon avis, il n'est guère permis d'en douter. Je sais bien, on m'objecte toujours le même vers de Guillaume de Montagnac :

> *Quar d'amor mou castitatz*
>
> Car d'amour vient chasteté [84].

Il faut remarquer qu'il s'agit d'un cas isolé, d'ailleurs tardif (des années 1230-1250). On s'est même demandé si cet accès de vertu ne reflétait pas la crainte de l'Inquisition, ou si une évolution ne s'esquissait pas, devançant celle que réalisera, dans la poésie italienne, le *dolce stil nuovo* : il est au moins piquant de relever une expression presque équivalente sous la plume de notre Montanhagol, lorsqu'il oppose aux chansons des anciens troubadours, les chants qu'il fera, lui, « sur des pensers nouveaux forgeant des vers nouveaux »,

> *Ab noels digz de nova maestria* [85].

Mais avant de s'avancer jusque-là, il faudrait être sûr du sens que le poète donne à *castitatz* : à en juger par les théoriciens, André, Matfre, le mot ne signifie peut-être guère que « fidélité » : « L'amour rend chaste, écrit le premier, c'est à peine s'il permet à l'amant de concevoir l'idée d'une étreinte avec une autre Belle. »

De même, on cite souvent une autre phrase du même André le Chapelain selon laquelle le « pur » amour ne réclamerait d'autre récompense qu'un baiser de sa bouche, et de la serrer dans les bras, et (mais c'est meilleur en latin) *verecundum amantis nudæ contactum, extremo prætermisso solatio* [86]. On n'a pas relevé que cette phrase, fameuse, fait partie d'un discours modèle destiné à la séduction d'une pucelle, sans trop effaroucher sa pudeur : j'en ai trouvé non sans surprise l'équivalent exact dans un Art d'aimer américain, de style non plus pédant mais humoristique : « Relax, dear, relax... » Un bon et docte religieux basilien a compilé un jour, références à l'appui, le catalogue des vœux qu'exprime, en ses chansons, Bernard de Ventadour : il demande à la bien-aimée qu'il aime si « purement » de l'aider à se déshabiller, ou d'assister à son déshabillage, de contempler son beau corps au lit, de se coucher à côté d'elle, d'en obtenir un baiser, de la prendre et la serrer dans ses bras, la couvrir de caresses et l'attirer à soi. La série ne va pas plus loin, mais il faut toute la naïveté de notre érudit pour conclure : « Il n'y a pas de raison pour penser qu'il désirait rien de plus... »

Sans être janséniste, on peut estimer le contraire! Il serait d'ailleurs très facile de compléter le catalogue avec toute une série de passages, empruntés à Bernard ou à d'autres, et parfaitement explicites sur l'espoir « de jouir en verger ou en chambre »,

Jauzirai joi en vergier ou dins cambra [87].

Ce vers est d'Arnaud Daniel, qu'il faut entendre évoquer

Lo jorn quez ieu e midonz nos baisem
E·m fetz escut de son mantel endi,

Le jour où ma Dame et moi nous baisâmes
et me fit bouclier de son beau manteau bleu,

ou le moment attendu

Que·l seu bel cors baisan rizen descobra
E que·l remir contra·l lum de la lampa.

Où, baisant son beau corps, souriant le découvre,
et le contemple à la clarté des lampes [88].

Plus récemment, dans son livre de 1963, René Nelli a repris la thèse traditionnelle en la formulant avec une particulière rigueur. Selon lui, « à toutes les vertus que requérait l'amour chevaleresque, l'amour courtois ajoutait la *castitatz* : il se complaisait dans toutes les manœuvres charnelles, dans tous les subterfuges érotiques, mais il était censé en principe éviter l'acte qui l'eût fait périr ». La récompense, ou l'épreuve suprême réservée à l'amant aurait résidé dans l'*asag*, la « mise à l'essai » : la dame s'offrant, nue, aux privautés de cet amant qui se serait engagé par serment à ne point désirer autre chose que *tener*, *baizar*, *abrassar*, *manejar* celle qu'il aimait d'un pur amour. Voire : de tout cela quelles preuves nous donne-t-on? « Le roman de *Flamenca* est le seul qui mette en scène un *asag* caractérisé. » Reportons-nous donc au texte : parvenu à ses fins (il lui a fallu pour cela construire un souterrain), le héros, Guillaume, rencontre enfin son aimée. Tout se passe on ne peut mieux; à peine l'a-t-il saluée genou en terre, Flamenca se jette à son cou; les voilà dans les bras l'un de l'autre :

> « Et de faire tout ce qu'Amour veut,
> Yeux, bouche ni mains ne chôment [89]; »

cependant on n'ira pas plus loin : « Guillaume ne sollicite rien de plus que ce que sa Dame lui offre », si bien que ce jour-là « de coucher ensemble il ne fut fait mention »,

> *Que jassers no i es mentagutz!*

Mais attention : il s'agit là d'une première rencontre et lorsqu'on s'appelle Guillaume de Nevers et Flamenca de Bourbon, née de Nemours, il est naturel d'avoir un comportement quelque peu délicat; on ne se jette pas sur une femme comme un étalon sur la poulinière... Aussi bien, Flamenca n'est pas seule, elle a avec elle ses deux suivantes Margarida et Alis, et à la seconde rencontre, Guillaume saura les écarter; car il y aura d'autres rencontres et les choses tout naturellement iront un peu plus loin : adieu *castitatz*! Soyons aussi discrets que le poète qui, sur un ton d'aimable badinage, se contente de suggérer la nature du « jeu » auquel s'abandonnent, avec une égale ardeur, nos deux héros.

Deux jeunes bacheliers se sont chargés d'occuper les suivantes :

Cambras y a bonas e bellas
Don ja non cal eissir punzellas,

Chambres y a, bonnes et belles,
dont ce jour ne sortiront pucelles
Alix ni Marguerite [90]!

« De son côté Guillaume joua ce jeu du mieux qu'il pût et bien trouva pour lui répondre. Ils purent jouer à leur envie. Je n'ai pas à conter les joyeuses invites que chacun fit; du moins dirai-je qu'il n'y a jeu si savoureux, que puisse penser, dire ou souhaiter cœur amoureux, qu'ils ne purent dire et faire et qu'ils ne voulurent mener à bien. Ils ont soin de n'avoir à regretter nul plaisir d'avoir oublié. Souvent ils en mettent et en remettent, et le jeu voit passer la mise et le gain. Amour dans sa courtoisie ne consent qu'aucun des deux ne soit en retard. Flamenca dans sa tendresse ne sait jouer avec son ami que jeu bien égal. Si bien qu'avant que le jeu finisse, chacun des deux y a tout gagné »,

Par o, abant que·l juecs remaina,
Cascuns o a tot gazainat [91].

Est-ce assez joliment dit? Laissons le pédant conclure : « L'adultère est consommé! » Il n'est pas nécessaire d'en arriver là, d'ailleurs, pour que l'amour, tel que l'évoquent les plus raffinés de nos troubadours, se situe bien loin de l'idéal évangélique de pureté. (« Et moi je vous dis : quiconque regarde une femme avec le désir dans son cœur, celui-là a déjà commis l'adultère ») : l'être humain étant ce compost d'une âme et d'un corps, l'amour qui s'adresse à la personne humaine doit nécessairement, pour établir le contact, passer par le corps – ce contact fût-il réduit au minimum : il serait bien ignare en amour celui qui ne saurait pas tout ce qui peut tenir dans l'éclair d'un regard échangé, pour peu qu'on s'en souvienne et le prenne au sérieux, et qu'on y repense, *immoderata cogitatione* (pour reprendre une expression d'André, dans sa définition de l'amour)...

Le moraliste, vite inquiet, nous dira : à partir du moment où le corps entre en jeu, tout finira par y passer. Mais, et c'est sa caractéristique, l'amour courtois ne se laisse pas obséder par la sexualité; si celle-ci, c'est inévitable, apparaît au terme du processus, du moins elle n'encombre pas ses débuts. Ici rien n'est plus instructif qu'un rapprochement avec l'amour antique : je pense à tel épisode d'un roman d'époque romaine, *les Ephésiaques* de Xénophon d'Éphèse; la jeune première, Anthia, est bouleversée à l'apparition du bel Habrokomès : « Elle parlait à haute voix pour attirer son attention; elle dénudait des parties de son corps, autant qu'il était possible, pour qu'Habrokomès la vît... » Aujourd'hui, un garçon s'aperçoit qu'il aime quand il ferme les yeux pour ne pas voir le corps de son amie...

Les Anciens n'avaient pas connu ce que peut être la délicatesse à l'égard de la femme; nos troubadours n'ont pas eu besoin de lire Freud pour découvrir ces règles d'or (je feuillette au hasard le code d'André le Chapelain) : « En amour, ne jamais demander plus que ne veut accorder l'aimée »; « car l'amour s'amoindrit si l'amant excède la mesure, ou ne respecte pas assez la pudeur ou la réserve de l'aimée ». « Il n'y a nul plaisir à ce qu'on prend malgré Elle »; « l'amant vrai ne souhaite rien recevoir que de l'amour de l'amante », *nisi sui coamantis ex affectu...* Ils allaient même beaucoup plus loin : le même André nous met en garde contre l'excès de la sexualité : la sensualité débridée est aussi un danger pour l'amour, car celui-ci est bien autre chose qu'une simple technique de séduction.

Une chanson de Rigaud de Barbezieux commence :

Tot atressi com la clartatz del dia
Apodera totas altras clartatz,
Apodera, Domna, vostra beutatz
E la valors e'l pretz e'lh cortezia,
Al meu semblant, totas celas del mon.

Tout ainsi que la clarté du jour
l'emporte sur toute autre clarté,
pareillement l'emportent votre beauté,
votre valeur, mérite, courtoisie,
me semble-t-il, sur toutes celles du monde [92].

L'exaltation de la Dame, cette façon de jucher son amour en si haut puy, fait naître dans le cœur de l'amant courtois un sentiment qu'il faut bien appeler religieux. Ne parlons pas seulement d'admiration, d'humilité, car ce sentiment n'est pas uniquement passif mais se trouve être le principe d'un effort passionné de dépassement. Seule en effet la comparaison avec la psychologie des mystiques peut faire comprendre comment, chez les troubadours, l'amour est devenu une source de progrès intérieur, d'enrichissement et de perfection morale. Ce même élan qui nous jette, prosternés, aux pieds d'une splendeur souveraine, qui nous fait mesurer l'abîme infranchissable qui nous sépare d'elle, fait naître en même temps, au plus profond de l'âme, un désir éperdu de s'en rendre moins indigne, de s'élever vers elle, de grandir. Le véritable amant pense de sa Dame ce que le mystique pense de Dieu : c'est pour Elle qu'il fait tout ce qu'il accomplit; de façon plus profonde encore, il faut dire : c'est par Elle qu'il le fait. Les troubadours ne cessent de se référer à cette loi, ainsi Arnaud de Mareuil-sur-Belle :

Car de vos sai, domna, que·m ve
Tot quant ieu fatz ni dic de be.

C'est de vous, Dame, je le sais, que me vient
tout ce que je dis, ou fais de bien [93].

C'est de l'amour, professent-ils, que naissent tous les biens dont l'ensemble constitue l'idéal de la perfection courtoise : *mezura*, la sagesse, norme de conduite, pensée juste, équilibre humain; mais faut-il commenter tous ces grands mots intraduisibles : *senz e pretz e larguez' e valors.*

Arrêtons-nous à ce dernier : la Valeur, somme de toutes les valeurs courtoises; les romans de chevalerie y souligneront jusqu'à l'absurde l'élément de prouesse guerrière (l'amour arme le bras du chevalier vainqueur); chez les troubadours, qui parlent sans doute volontiers eux aussi de *proeza*, l'idée est moins brutale, plus subtile et plus riche. L'amour est d'abord pour eux la source où s'alimente l'inspiration du poète; écoutons encore Bernard de Ventadour :

Non es mervavelha s'ieu chan
Mielhs de nulh autre chantador,
Que plus mi tra'l cors ves amor
E mielhs sui faitz a son coman...

Ce n'est pas merveille si je chante
mieux que nul autre troubadour,
car plus mon cœur me tire vers amour
et plus suis fait à son comman(dement) [94].

Mais l'idée est plus générale encore : l'amour est le principe d'où découle toute richesse intérieure, tout progrès moral; l'amour est la Vertu; ainsi, Guillaume de Montagnac, dans la strophe où se trouve le vers fameux sur l'amour qui meut chasteté :

Quar amors non es peccatz,
Anz es vertuts que'ls malvatz
Fai bos, e'lh bo'n son melhor,
  E met om' en via
De ben far tot dia
E d'amor mou castitatz,
Quar qui'n amor ben s'enten
No pot far que pueis mal renh.

L'amour n'est pas un péché, – mais est vertu qui rend bons les méchants, – et les bons meilleurs, – et met tout homme en voie – de bien faire tout jour; et d'amour vient chasteté, – car qui en amour s'entend, – ne peut plus mal agir [95].

C'est cet état d'exaltation heureuse, et, encore une fois, quasi mystique que désigne chez les troubadours le mot clé de *Joi*, terme mystérieux qui fait le désespoir des romanistes; nous l'avons jusqu'ici transcrit, mais non traduit, par « Joie » : il n'est pas impossible en effet que le mot français ait exercé quelque influence sur *Joi* qui résonne un peu étrangement en langue d'Oc (mais le mot est masculin). Le latin *gaudium* a donné régulièrement en occitan *gaug*, qui appartient aussi on l'a vu au vocabulaire des troubadours : nous l'avons rendu approximativement par « plaisir ». *Gaug* et *joi* paraissent s'opposer et traduire en quelque sorte deux aspects contrastés de la vie amoureuse : d'un côté *(gaug)* le sentiment éprouvé, la jouissance, le bonheur savouré, de l'autre *(joi)* le principe actif, la force agissante, celle qui *abellis*, *melhura*, *enansa*, *esmera* (embellit, rend meilleur, fait progresser, épure).

Cette notion de *Joi* a particulièrement intrigué les exégètes : qu'est au juste cette « Joie »? D'où vient-elle? Transfiguration de la joie grossièrement sensuelle, celle par exemple des fêtes paysannes de Mai? Il est bien vrai qu'elle implique une résonance cosmique : la Joie d'amour répond en quelque sorte au rythme souverain qui anime les fleurs du verger, les ruisseaux et les sources, et le vol de l'alouette au printemps. Mais c'est essentiellement un état de l'âme humaine ; on y a vu aussi une sorte de transposition profane de la théologie augustinienne de la grâce : la Joie serait à l'amour ce que la grâce est à la charité surnaturelle. Disons en termes savants que le *Joi* est un *habitus* principe d'actes méritoires. C'est ce qu'exprime bien ce beau texte d'Arnaud de Mareuil :

Si cum li peis an en l'aiga lor vida,
L'ai eu en joi e totz temps la˙ i aurai.

Comme la vie des poissons est dans l'eau, – moi
je l'ai en la Joie et tout temps l'y aurai [96].

Mais ne nous perdons pas dans l'abstraction scolastique : *joi* et *gaug* sont en fait inséparables; l'élément proprement joyeux affleure à tout instant dans cette poésie; ce bonheur n'est pas un bonheur triste. Ce que les deux noms distinguent vient confluer dans le verbe, *jauzir*, d'où l'art subtil de Geoffroi Rudel a tiré des effets pratiquement intraduisibles :

E mias sion tals amors
Don ieu sia jauzens jausitz.

Et miennes soient telles amours, – dont je sois
rayonnant de joie, rempli de joie [97]!

A *Joi* s'associe souvent, autre mot clé, *Jovens*, littéralement la jeunesse, mais aussi cette disponibilité intérieure qui est le fait des êtres jeunes : spontanéité, vivacité, générosité, don total de soi sans arrière-pensée. A ceux qui, obsédés de la Nuit, croient que les troubadours n'ont jamais chanté que l'amour malheureux, opposons l'allégresse triomphante de la comtesse de Die :

Ab joi et ab joven m'apais
E jois e jovens m'apaia
Car mos amics es lo plus gais :
Per qu'ieu sui coimdet' e gaia,
E pois en lui sui veraia...

De Joie et Jeunesse me repais, – Joie et Jeunesse me repaissent, car mon ami est le plus gai : j'en suis gracieuse et gaie et puisqu'à lui suis fidèle... [98].

Ne nous attardons pas trop dans l'analyse de ce qui n'est après tout qu'orchestration psychologique; il ne faut pas perdre de vue l'essentiel, ce que nous avons appelé la gravité, le sérieux d'un tel amour : chez les troubadours, la quête amoureuse est comme lestée d'une exigence d'absolu. Le désir s'exalte à proportion de la plus haute idée qu'on se fait de Celle qui en est l'objet; ainsi dans ces vers d'Albertet de Sisteron :

Dezirier n'ai, q' anc hom no· l'ac major,
Mas sos rics pretz mi fai tan d'espaven...

Désir j'en ai comme jamais homme ne l'eut plus grand, mais son rare prix me fait tant d'épouvante... [99]

Nous assistons à une véritable surestimation métaphysique de la femme – Celle pour qui, par qui, en qui l'homme devient plus grand. Je n'irai pas jusqu'à prononcer le mot d'idolâtrie (encore qu'il entre dans une telle vénération, hyperbole mise à part, une composante d'idolâtrie) car les idoles sont un néant et l'idolâtrie dépersonnalise. Je la rencontre dans l'Inde où Mircea Eliade nous fait connaître une forme abâtardie scèse érotique, synthèse tardive de tantrisme et de vichnouisme, celle que pratique l'école Sahajiyâ; il s'agit comme toujours d'atteindre à une parfaite maîtrise des sens; pour cela l'adepte s'impose un long et difficile apprentissage dans ses rapports avec la femme aimée, qu'un rituel compliqué tend à transformer progressivement en déesse. Pendant les quatre premiers mois l'homme la sert comme un domestique, la baigne, la parfume, la pare; il est admis à dormir dans la même chambre, puis dans son lit, mais à ses pieds, ainsi de suite; au terme les amants dorment enlacés, mais, comme disait André en son latin, *extremo prætermisso solatio*... On se demande ce que peut penser de tout cela la pauvre victime, devenue un pur objet de manipulation.

L'amour courtois au contraire est réciproque : celle que le troubadour a placée si haut, et pour laquelle il grandit, si du moins elle n'est ni coquette ni snob, ne peut qu'avoir envie, à son tour, de tomber à genoux devant celui qu'elle voit agenouillé; écoutez plutôt la Comtesse :

Ans vos am mais ne fetz Seguis Valensa,
E platz mi mout que ieu d'amor vos vensa,
Lo meus amics, car etz lo plus valens...

Mais je vous aime plus que Seguin n'aima Valence,
et il me plaît fort que d'amour je vous vainque,
ô mon ami, car êtes le plus valant [100]!

Il reste que ce culte de la Dame, élevée si haut qu'elle en devient, momentanément, inaccessible, revêt facilement un aspect quasi religieux. On comprend que certains en soient venus à se demander si cet amour s'adresse encore à une femme réelle, s'il s'agit encore d'un amour humain.

Ainsi à propos de Geoffroi Rudel et de cet *amor de lonh* qu'il a chanté avec un art si sûr et une nostalgie si prenante : est-ce vraiment une femme, et alors laquelle? La comtesse de Tripoli de la légende paraissant exclue, on a pensé, comme de juste, à la reine Aliénor. Mais n'est-ce pas plutôt un pur symbole? Pour K. Vossler, c'est Hélène de Troie. (Nous n'en sommes pas, pourtant, au second *Faust*!) Pour Grace Frank, la Terre sainte (après tout Rudel s'est croisé et des exégètes fort sérieux ont bien admis que dans le Cantique des Cantiques la Bien-Aimée pouvait être une allégorie de la Palestine); pour Carl Appel, la Sainte Vierge (mais n'est-ce pas anachronique en cette première moitié du XIIe siècle?); pour d'autres enfin, Dieu lui-même peut-être?

La tentation se justifie, mais l'historien doit imposer la bride à son imagination : nous devons ici redoubler de prudence, ne pas brouiller, au mépris de la chronologie, les étapes d'un développement dialectique; il y a, et il faut les distinguer, l'amour courtois, celui du *dolce stil nuovo* et de la jeunesse de Dante, la transposition transcendante, enfin, que le même Dante a réalisée à l'époque de sa maturité : la Beatrice de la *Vita Nuova* qui n'est déjà plus tout à fait la Dame des troubadours, n'est en tout cas pas encore la Beatrice de la *Divine Comédie*. Chez nos poètes d'Oc, on reste encore bien loin, semble-t-il, de cette transfiguration allégorique : les témoignages historiques sont assez fermes pour que nous puissions être sûrs qu'il s'agit bien d'un amour humain, bien réel, encore qu'il se trouve ennobli presque à la dignité d'un culte.

Troubadours et christianisme

L'étonnant est que cette religion de l'amour soit apparue en pleine chrétienté occidentale, dans ce milieu de civilisation si profondément imprégné de christianisme. Or que l'amour courtois soit tout autre chose que l'*agapè* chrétienne, ne peut faire de doute. Il faut entendre un théologien de nos jours le qualifier (je pense au regretté P. Denomy, déjà cité, qui était devenu un bon connaisseur de la littérature d'Oc); il ne peut que lever les bras au ciel : amoral, immoral, contraire aux enseignements de Dieu et de l'Église, hérésie (je dirais mieux : impiété), ce n'est pas chrétien, c'est certainement antichrétien!

Les hommes du Moyen Age, tous les premiers, l'ont reconnu : le traité d'amour d'André le Chapelain a été solennellement condamné, interdit sous peine d'excommunication, le 7 mars 1277 par l'évêque de Paris Étienne Tempier, en compagnie d'un manuel de nécromancie et autres livres pareillement opposés à la foi orthodoxe et aux bonnes mœurs. Il suffit de replacer le « Périlleux traité d'amour des dames selon qu'en ont traité les anciens troubadours », qui occupe les vers 27 791-34 597 du *Breviari d'Amor*, dans l'ensemble de l'ouvrage pour constater son caractère aberrant et l'incapacité où se trouve Matfre Ermengau de l'intégrer dans sa synthèse chrétienne. La maladresse de l'auteur peut expliquer l'incohérence qui en résulte pour l'œuvre, mais l'opposition doctrinale était bien irréductible.

Cette immense encyclopédie (où rien ne manque : astronomie, bestiaire, droit des gens et jusqu'à une théorie de la guerre juste) cherche bien à s'organiser autour de la notion centrale d'Amour et bien entendu demande au dogme catholique d'inspirer sa structure. Dans ses vieux manuscrits, grand *in-folio*, splendidement illustrés, nous trouvons un beau schéma de l' « arbre d'amour », enraciné dans le Christ, couronné par l'Esprit-Saint, mais cet Amour n'est autre que l'amour de Dieu et du prochain, dominant l'amour des biens

L'offrande du cœur
(Ivoire du XIVe siècle)

temporels et l'amour d'homme et femme, celui-ci s'épanouissant en amour des enfants. Nous sommes dans la perspective la plus saine, et la plus banale, de la morale chrétienne. Matfre s'étend longuement sur cet amour réciproque; en termes strictement orthodoxes (son exposé a une pointe polémique dirigée contre les cathares), il montre que « cette amour est bonne, et en quelle manière on en peut bien user », – à savoir dans le mariage et en vue des enfants. Plus loin il veut prouver combien ce même amour peut être « périlleux » et nous avons alors en 286 vers la plus rigoureuse satire, d'un point de vue religieux, de l'amour courtois et de toute la vie courtoise (car il blâme également le goût des tournois ou du bal : sachez, dit-il,

Que· l dyables mena lur dansa!)

Attention à qui trop fréquente les dames, plaisante avec elles « et leur beauté trop admire », car le diable est ingénieux et a vite fait de profiter de ces « mondaines vanités » pour nous amener à consentir au péché... Je n'ai pas voulu utiliser le terme d'idolâtrie; Frère Matfre, lui n'hésite pas :

E tant excite leur ardeur
le Satan, que par excès d'amour (per sobr'amar)
il leur fait les dames adorer :
du même amour
dont tout homme doit aimer le Créateur,
de tout leur cœur, de tout leur sens,
et de tout leur entendement,
ils aiment les dames à péché
faisant d'elles leur déité.
Et sachez qu'en les adorant,
ils adorent pour sûr le Satan
et font leur Dieu du déloyal
Dyable, Satan, Belial... [101]

Et de jolies miniatures, aux légendes expressives, viennent renforcer l'enseignement : cet amour est intrinsèquement pervers. Là-dessus commence « le Périlleux traité » (l'épithète est la seule concession que Matfre fasse à l'orthodoxie), enrichi de nombreuses citations des grands troubadours d'autrefois et où l'amour courtois est analysé sans scrupule, l'auteur sans fausse honte proclamant sa compétence : *E quar ieu soy aymans verays* [102]... Le contraste est si vif que le brave Matfre a compris qu'il fallait l'expliquer, mais en fait il s'embarrasse dans une nouvelle allégorie et ne justifie rien.

Il y a contraste absolu entre morale chrétienne et morale courtoise. Comme la condamnation du *De Amore* par Étienne Tempier introduit celle de 219 propositions, principalement averroïstes, le P. Denomy s'était demandé s'il ne fallait pas expliquer cette discordance par la doctrine, chère à l'averroïsme médiéval, de la double vérité, *due contrarie veritates*. Je crois qu'il s'agit d'un phénomène beaucoup plus général, celui qu'Arnold J. Toynbee nous a appris à appeler « schisme dans l'âme ». L'unité intérieure est un idéal rarement atteint : de même qu'au sein d'une même civilisation se juxtaposent, s'unissent ou se combattent bien des idéologies distinctes, de même l'âme de chaque homme est-elle partagée entre des aspirations parfois contradictoires. Nous avons montré en commençant la richesse tumultueuse du XIIe siècle occidental : comment s'étonner que les hommes de ce temps aient été, comme nous le sommes, divisés au plus profond d'eux-mêmes?

Mais des idéologies contemporaines ne se développent pas en vase clos; précisément parce qu'elles coexistent chez les mêmes hommes, elles ne peuvent manquer d'interférer et de s'influencer mutuellement : c'est là aussi un phénomène bien connu des historiens de la civilisation et auquel j'ai proposé d'appliquer le terme d' « osmose culturelle ». L'emprise du christianisme était beaucoup trop grande sur l'Occident médiéval pour que nous n'en retrouvions pas l'écho dans la poésie des troubadours.

Cette influence se discerne à des niveaux divers de profondeur : ce n'est parfois qu'abus de langage, transfert, quelquefois blasphématoire, de la terminologie religieuse : l'homme médiéval ne peut rien dire ou faire sans y mêler le nom de Dieu ou des saints. Dans le roman de *Flamenca* qui tourne tout entier autour d'une histoire d'adultère, nous voyons

Dieu tout à tour invoqué ou intervenir pour la réussite de l'aventure [103], car, déclare tout uniment le poète, « Dieu aime les amants » : est-ce inconscience ou provocation? On pourrait citer de nombreux textes où se manifeste la même tendance : « Cette religion de l'amour se présente souvent comme parodie de la vraie religion » (C. S. Lewis).

D'autres fois cela va beaucoup plus loin et c'est très sincèrement que les troubadours ont touché la note religieuse; ainsi quand Bernard Alanhan de Narbonne invoque « le vrai Dieu en qui naît l'amour vrai »,

Verays Dieus on ver'amor nays [104];

ou quand, pour mieux célébrer la Dame on s'écrie que « Dieu jamais n'en créa de plus belle »,

Anc Deus non en fes de tant bela mai [105] :

ce vers est tiré d'une *Balada* anonyme, mais on en pourrait citer bien d'autres analogues, et signés des plus grands noms, Geoffroi Rudel, Bernard de Ventadour. C'est là sans doute une hyperbole mais c'est en même temps une référence à la théologie orthodoxe de la création – en opposition au noir pessimisme anticréationniste des cathares : Dieu, le Dieu bon, *per sa dousor*, par sa grande, ou sainte douceur (le mot revient constamment), est l'auteur et la source de toute beauté terrestre. Et cette référence de foi n'est pas sans impliquer une résonance cosmique : c'est toute la beauté du monde qu'elle concerne à la fois, cette splendeur qu'évoque si bien l'exorde printanier cher aux plus anciens troubadours, le chant des oiseaux, le son clair du *riu de la fontana*, *pratz e vergiers*, et les arbres et les fleurs; ainsi Geoffroi Rudel :

Dieu que fetz tot quant ve ni vai
E formet cest' amor de lonh...

Dieu qui fit tout ce qui va et vient,
et créa cette amour lointaine... [106]

Vivant dans un milieu de civilisation à dominante sacrale, les troubadours ne pouvaient exprimer ce que nous avons appelé le sérieux de leur amour que sous la forme du sacré.

Un autre sacré, certes, que celui du catholicisme ambiant, mais qui n'aurait pas été ce qu'il est s'il n'avait plongé profondément ses racines dans l'humus chrétien. Il existe une parenté indéniable entre l'atmosphère spirituelle où s'épanouit la poésie des troubadours et celle des grands mystiques qui ont illustré l'Église de leur temps, saint Bernard, l'école de Saint-Victor, ne serait-ce que par le sens de l'intériorité, de la vie profonde, le goût de la contemplation, de la « considération » (saint Bernard a écrit un *De Consideratione* : le terme a son équivalent dans la langue des troubadours : *consir*, *cossirier*), le même besoin d'absolu.

Un érudit italien, D. Zorzi, a souligné avec raison la présence des « valeurs religieuses dans la littérature provençale », notamment de « la spiritualité trinitaire ». Il était utile en effet de rappeler que l'épanouissement de cette lyrique était contemporain de ce grand effort de spéculation théologique, dont nous avons, en commençant, signalé l'importance. Plus encore qu'à la présence matérielle d'allusions dogmatiques, je suis sensible à une influence diffuse, et par là même plus profonde : c'est seulement dans un milieu doctrinal enrichi par la théologie trinitaire qu'a pu se développer une conception de l'amour qui associe la valeur absolue à la notion de personne. Il faut écouter par exemple Richard de Saint-Victor expliquer en son *De Trinitate* que la plénitude de l'amour exige une pluralité de personnes, et en celles-ci suprême égalité autant que suprême similitude. Il s'agit bien entendu ici des Personnes divines, mais nul n'ignore combien la notion, qui nous est aujourd'hui familière de personne humaine est redevable à cette théologie. De fait, si on néglige la différence, il est vrai capitale, de leur objet, c'est bien la même conception fondamentale de l'amour, extatique et personnaliste à la fois, que l'on retrouve chez le Victorin et chez nos troubadours.

On a trop souvent prononcé, à propos de ceux-ci, le mot de platonisme. Sans doute n'entend-on par là, le plus souvent, que la vague notion d'une érotique qui s'élève au-dessus du seul plan de la chair. Mais il n'y a aucun intérêt à vider les mots de leur sens plénier : pour ma part, beaucoup plus qu'à cette analogie très générale, je suis sensible aux différences qui séparent l'amour platonicien et l'amour courtois. Platon part du corps (chez nous on y arrive), et par une dialectique appropriée, où les mathématiques ont en particulier un rôle essentiel de médiation à jouer, conduit l'âme à s'élever par étapes vers le ciel des Idées pures. Cet amour monte certes vers un Absolu, mais en cours d'ascension a bientôt oublié la forme gracieuse du bel éphèbe qui lui avait servi à prendre son essor. Cet amour philosophique ignore la communion des amants et même la réciprocité des âmes : « Au sein de l'Être pur, l'âme individuelle se rassasie, solitaire » (G. Gargam).

Tout n'est donc pas faux dans la thèse formulée par E. Wechssler en 1909 selon laquelle la « mystique » profane (si on peut dire) de l'amour courtois est définie comme une transposition, une inversion du divin à l'humain, de la mystique chrétienne, telle précisément qu'elle s'épanouissait en ce même XIIe siècle. A partir de cette constatation, qui paraît indiscutable en tant qu'elle se limite à un rapprochement formel, R. R. Bezzola a construit une hypothèse sur la genèse de cet idéal courtois, la plus ingénieuse de toutes celles qui ont été proposées pour résoudre le mystère des origines. Cette transposition aurait été l'œuvre historique, consciente, du premier des troubadours, notre ami Guillaume IX, le comte de Poitiers. Celui-ci se serait inquiété du succès remporté auprès des grandes dames de son milieu par la propagande ascétique de Robert d'Arbrissel (1050-1117) : en fait, pour ne citer que celles-là, ses deux femmes Ermengarde et Philippa-Mahaut, sa fille Audéarde, avaient pris le voile à Fontevrault. Il aurait alors élaboré, pour satisfaire les besoins spirituels des dames de la noblesse, cet idéal rival, cet amour purement humain, certes, mais épuré, ennobli, exalté, paré des attraits d'une quasi-mystique, tout en restant sensuel, terrestre, mondain.

L'hypothèse est trop précise et trop ingénieuse pour avoir chance d'être vérifiée, mais le cas de Robert d'Arbrissel est très instructif; il y aurait beaucoup à dire sur cette personnalité étrange (il y a des résonances troubles dans sa spiritualité et bien des détails suspects dans ses rapports avec ses dirigées, dames de cour ou filles repenties); retenons simplement de son œuvre que certaines notions étaient dans l'air autour de l'an 1100 : l'aspiration de l'âme féminine vers un idéal de pureté, l'importance attachée à la femme (on sait que Robert d'Arbrissel a voulu que toute sa congrégation, couvents d'hommes compris, fût soumise à l'autorité de l'abbesse de Fontevrault).

Donc : inversion de la mystique authentique – autant dire perversion, caricature sacrilège? Je ne crois pas cependant que le jugement du théologien puisse être uniquement négatif. Aux yeux du chrétien il n'y a jamais, il ne peut y avoir qu'un amour : « Car l'amour vient de Dieu et quiconque aime est né de Dieu, et connaît Dieu. Celui qui n'aime pas ne connaît pas Dieu... » est-il écrit dans la *1re Épitre de saint Jean*. Dès son origine, le christianisme authentique (je ne parle pas de ses déviations puritaines) a proclamé sa prédilection pour les âmes capables d'aimer (la Samaritaine, Marie de Magdala...), même d'un amour coupable, c'est-à-dire désordonné. Il est clair que de ces mêmes âmes, le christianisme exige une conversion, un renoncement, un redressement total, mais on ne pourra jamais en dire que c'est inutilement qu'elles ont aimé.

Pareillement, des troubadours on peut dire que ce n'est pas en vain qu'ils se sont efforcés à un tel approfondissement du désir : c'était développer dans le cœur de l'homme sa faim et sa soif, sa capacité d'Absolu. Bien sûr, il faut le concéder, leur amour était entaché d'erreur, vicié, absurde, car une femme, si belle et si haute qu'elle puisse apparaître, ne peut jamais suffire comme substitut de l'Unique. Mais il n'était pas entièrement illusoire d'y reconnaître un reflet de la splendeur divine, de sa lumière, clarté, « douceur ». C'est ce qu'a bien exprimé de nos jours, encore qu'avec un peu d'équivoque romantique (je n'aime pas ce mot d' « ange »; je ne me souviens pas l'avoir lu chez les troubadours; on le rencontre, une fois, chez un poète andalou, Ar-Râ*di*, le fils d'Al-Mu'tamid : ô toi qui es pour moi un ange, *mal'ak*), ce verset du *Soulier de satin* où Claudel fait dire de Rodrigue par son frère le Jésuite : « Faites de lui un homme blessé, parce qu'une fois en sa vie il a vu la figure d'un Ange. »

C ossentir a pecatz e seguir les deliet

l eu ables li fay desirar trop belas

L'échec de cet amour

Il reste qu'un tel amour n'était pas, n'est pas, ontologiquement viable. En fait, il ne peut être qu'un moment dialectique, un éclair, un éblouissement qu'il faut savoir transcender, sous peine de le voir s'évanouir en illusion. C'est bien d'ailleurs ce que montre l'histoire même de la poésie des troubadours. Brève histoire : deux siècles disions-nous, et le second déjà de décadence. Leur veine s'est bientôt tarie : ce n'est pas la croisade des Albigeois, ni la conquête française (elles n'ont subjugué ni la Provence ni le Limousin), ni la terreur ou les tracasseries de l'Inquisition qui l'ont, comme on l'a dit, assassinée; elle est morte de son propre épuisement. Un printemps précoce, disions-nous, avec cette fraîcheur de l'air qui garde un relent de neige, mais un printemps que ne suivit aucun été. En fait, qu'étaient devenus, au bout de quelques générations, cette poésie et cet amour? J'aperçois deux issues. Ou bien l'un et l'autre ont sombré dans le poncif, l'hyperbole précieuse (« Marquise, vos beaux yeux... ») la littérature, et la pire, la passion simulée et purement verbale.

Le lecteur aura peut-être observé que nous n'avons jamais posé jusqu'ici la question si souvent débattue de la sincérité de ces poètes, de la réalité des sentiments qu'ils exprimaient. Débat sans issue : poésie ou vérité? Ou mieux : expérience vécue et création poétique. Les chansons des troubadours sont des œuvres d'art : elles sont vraies pour ceux qu'elles ont émus! Il n'a pas manqué de critiques pour soutenir qu'il n'y avait là qu'amour de tête, exercice de l'esprit, fiction poétique, livrets d'opéra. Je n'oserai pas prétendre qu'il n'entre jamais rien d'artificiel, même chez les meilleurs, comme déjà chez les poètes latins de l'école d'Angers! Mais plus on va, plus ce jeu de convention tend à tout envahir. Je suis très frappé de constater que le scepticisme le plus radical est le fait de spécialistes des Minnesänger, ces imitateurs (au premier ou au second degré), au formalisme un peu compassé. Dans la littérature occitane, on peut réagir de même en face

[m]iniature du *Breviari d'amor* de Matfre Ermengau

des épigones tardifs : je songe à ce débat entre Savaric de Mauléon, sénéchal d'Aquitaine, et deux troubadours, Hugues de la Bachellerie et Gaucelme Faidit : il s'agit de la Dame aux trois soupirants qui *A chascun fai d'amor semblan* : elle regarde l'un amoureusement, à l'autre étreint la main doucement, et au troisième presse le pied en souriant; auquel a-t-elle témoigné plus d'amour [107]? On se croirait à l'hôtel de Rambouillet.

Reste l'autre issue : si cet amour a été authentiquement vécu, il s'est trouvé vite épuisé, comme s'épuise, s'épure ou se dépasse tout amour adolescent. Spirituellement, l'amour courtois est une impasse et accule l'âme noble à la conversion. Et c'est bien ce qui, historiquement, s'est vérifié : le schisme dans l'âme dont nous parlions ne s'observe pas seulement au niveau, collectif, du milieu de civilisation mais aussi à l'intérieur de l'évolution personnelle. On a calculé qu'un tiers des troubadours sur lesquels nous possédons des données suffisamment précises ont terminé leur vie au couvent, une fois convertis, sur le tard, un peu comme Fabrice, à la dernière page de *la Chartreuse*. Plusieurs ont fini moines blancs : ainsi, à peu d'années d'intervalle Bernard de Ventadour et Bertrand de Born à l'abbaye cistercienne de Dalon en Limousin, Perdigon dans celle, semble-t-il, de Silvacane en Provence, chère à Henri Bosco; Fouquet de Marseille, on l'a vu, également en Provence, dans celle du Thoronet.

Qu'ils aient eu pleinement conscience de l'opposition, d'une rupture entre leurs deux états de vie, c'est ce que montre bien une anecdote relative à ce même Fouquet de Marseille et qui nous est rapportée par le grave Robert de Sorbon : évêque de Toulouse, Fouquet s'imposait, par pénitence, de jeûner au pain et à l'eau chaque jour où il entendait un jongleur chanter une des chansons qu'il avait composées au temps où il vivait dans le siècle : la chose lui arriva, un jour qu'il était assis à la table du roi de France; il interrompit son repas, se fit apporter de l'eau (on buvait du vin chez le roi) et ne prit plus rien *nisi panem et aquam*...

Une fois moines, et pénitents, nos troubadours ne sont pas devenus des poètes mystiques : ils se sont tus. Tout au plus attribue-t-on quelquefois deux pièces religieuses à Fouquet de Marseille, mais elles sont peut-être d'un autre, Fouquet ou Falquet de Romans; l'une d'ailleurs, transposition pieuse du thème de l'*alba*, est fort belle :

> *Vers Dieu, el vostre nom et de Santa Maria*
> *M'esvelharai hueymais...*

Vrai Dieu, en votre nom et de Sainte Marie m'éveillerai désormais... [108]

Il s'agit là des troubadours de la grande époque, des classiques; si nous envisageons l'évolution d'ensemble de la lyrique occitane, nous la voyons bien s'efforcer de trouver *in extremis* une voie qui pût à la fois renouveler son inspiration et donner satisfaction d'autre part au besoin plus profondément ressenti d'orthodoxie : au lieu de chanter une dame de leur milieu et de leur temps, les poètes ont finalement tendu à reporter hommages à la Dame par excellence, la Femme bénie entre toutes les femmes, la Vierge Marie. On saisit le passage en train de s'effectuer dans une pièce de Guiraud Riquier :

> *Ieu cujava soven d'amor chantar*
> *El temps passat e non la conoyssia,*
> *Qu'ieu nomnava amor ma folia.*
> *Mas era'm fai Amors tal Don' amar*
> *Que non la puesc honrar pro, ni temer,*
> *Ni tener car endreg del sieu dever...*

J'ai cru souvent d'amour chanter,
au temps passé, mais ne le connaissais pas,
car c'est ma folie que j'appelais amour.
Aujourd'hui, Amour me fait telle Dame aimer
que je ne puis assez l'honorer, ni la craindre,
ni la chérir autant qu'elle en aurait droit [109].

Cette Dame reçoit, dans la strophe finale, le *senhal* ambigu de *Mon Bel Deport*; on pourrait croire encore qu'il s'agit d'une femme : les chansons ultérieures ne laissent plus de place au doute et s'adressent à Dame Étoile du monde, *Dona Estela del mon.*

Une fois de plus l'historien se sent tenu d'apporter ici des précisions chronologiques : on a parfois exagéré, antidaté, l'influence, sur notre poésie, de la piété mariale, faute de bien connaître les étapes du développement de celle-ci. Certains ont prétendu que, sous le voile d'un amour profane, c'était en réalité à la Vierge que s'adressaient les plus anciens troubadours; ou même que c'était le culte marial qui était à la source de l'amour courtois proprement dit. Il faut se souvenir qu'en Occident la théologie mariale était restée longtemps stationnaire; c'est seulement à partir de 1100 qu'elle prend un nouvel essor, mais la piété, et la mystique, du XIIe siècle sont encore avant tout christologiques et trinitaires et c'est à partir de cette base saine et solide que va pouvoir se développer la mariologie.

Amour courtois, piété mariale représentent deux mouvements parallèles; s'il y a eu influence, ç'a été plutôt en sens inverse : c'est la poésie amoureuse qui fournira des moyens d'expression à la piété plus affective, plus affectueuse du XIIIe siècle et de la fin du Moyen Age. On ne peut pas dire d'ailleurs que cette influence ait été toujours heureuse : pour être la plus haute de toutes les créatures humaines, immensément exaltée au-dessus de toutes les autres, la Bienheureuse Vierge Marie appartient cependant au domaine du créé et il n'est pas possible, ou il devient dangereux, d'en faire un objet d'hommages où l'âme puisse apaiser sa soif d'absolu : il ne faudrait pas imaginer que la piété catholique voie dans la vénération de la Vierge le moyen d'introduire un principe féminin au sein de la divinité : l'Éternel-féminin, *das Ewigweibliche*, est le mot d'un néo-païen pour qui les dogmes chrétiens ne sont plus qu'une mythologie.

Aussi peut-on se demander si ce virement de la Dame à la Vierge était bien inspiré (en fait il ne réussit pas à redonner vie à une tradition essoufflée, comme on en peut juger par les derniers troubadours, ou, pis encore par les médiocres pièces couronnées aux XIVe et XVe siècles aux Jeux Floraux de Toulouse). Ramon Lull a eu plus de bonheur, à l'école de modèles soufis (l'emprunt à l'islam est ici évident, et d'ailleurs avoué) et en exprimant le rapport de l'âme à Dieu sous l'image de celui de l'ami à l'aimé, dans ce *Llibre d'Amic e Amat* qui est non seulement un des chefs-d'œuvre de la prose catalane mais aussi un des plus précieux joyaux de la littérature spirituelle du Moyen Age chrétien.

L'influence des troubadours

Si brève qu'ait été sa floraison, la poésie des troubadours avait eu le temps de se répandre dans tout l'Occident et d'y allumer des foyers de poésie au rayonnement durable.

Elle avait commencé par s'étendre comme naturellement hors de son domaine linguistique propre, en Catalogne et dans l'Italie du Nord. Affinités de langue et liens dynastiques unissaient la première au Bas-Languedoc et à la Provence. Les troubadours, grands voyageurs, ont naturellement fréquenté les cours de Barcelone : celles des rois d'Aragon Alphonse II et Pierre II reçurent Arnaud Daniel, Guiraud de Bourneil, Arnaud de Mareuil, Pierre Vidal, d'autres encore. Tout naturellement les Catalans cultivèrent à leur tour la poésie provençale; ainsi Guillaume de Berga, Guiraud de Cabrera et ce Guillaume de Capestany en Roussillon qui a été l'objet d'une biographie romanesque sur le thème folklorique du « cœur mangé » : le mari trompé aurait fait manger à sa femme le cœur du troubadour, dûment rôti et fait à la poivrade... Les érudits, toujours méfiants, ont vérifié que notre troubadour a vaillamment combattu, bien vivant, à la grande victoire de Las Navas, bien après la mort du méchant jaloux!

Mêmes phénomènes au-delà des Alpes : la cour de Montferrat en Piémont fut un centre d'attraction, surtout au temps du marquis Boniface, mort roi de Salonique en 1207, et de Raimbaud de Vaqueiras. D'autres allèrent plus avant : chez les Malaspina en Lunigiana, chez les Este à Ferrare; Guillaume Figueira suivra l'empereur Frédéric II jusqu'en Pouilles. Comme en Catalogne, et malgré la différence des dialectes (la *Romania* était une et on chantait l'amour en provençal comme on composait les chansons de geste en français), nous trouvons des troubadours en Haute-Italie; on en connaît plus de trente : Génois comme Lanfranc Cigala et Boniface Calvo, Mantouan comme Sordel, le plus grand d'entre eux, célébré, comme on sait par Dante en son *Purga-*

toire, VI-IX; Vénitien même comme Barthélemy Zorzi : « Il fut gentilhomme, marchand de Venise et fut bon *trobaire*. Prisonnier des Génois, (ce n'est pas la seule fois que la prison de Gênes servira la littérature : pareillement captif, Marco Polo y dictera en 1298 son *Livre des merveilles*), il échangea en prison des vers avec son confrère Boniface Calvo. Libéré, il devint châtelain de Koroni et Méthone en Romanie... »

C'est dans la France du Nord que nous trouvons pour la première fois une poésie née à l'imitation de la provençale mais qui utilise le parler local : chacun sait que les trouvères, créateurs de la lyrique française ont emprunté à l'occitane ses genres, chanson d'amour, aube, pastourelle, chanson de croisade, sa forme et jusqu'à ses mélodies, ses thèmes, son idéal de courtoisie. Introduite ou favorisée par la reine Aliénor et ses filles, Marie de Champagne et Aélis de Blois, l'influence provençale s'exerce de façon féconde à partir de 1150 sur les premiers trouvères, Chrétien de Troyes, Huon d'Oisi, châtelain de Cambrai, Conon de Béthune...

Naissance analogue de la poésie de langue allemande chez les « chanteurs d'amour » ou Minnesänger. On discute pour savoir comment s'est effectué le contact : directement, par des troubadours émigrés en Europe Centrale (Pierre Vidal et Gaucelme Faidit iront jusqu'en Hongrie), ou par des Allemands venus en pays d'Oc (Dauphiné et Provence étaient terres d'Empire et Frédéric Barberousse fut couronné roi d'Arles en 1178), ou dans l'Italie si provençalisée (des Minnesänger ont accompagné l'empereur lors des descentes en Italie), indirectement, à travers les trouvères? Les études récentes ont montré que les Minnesänger connaissaient avec précision les poésies et les mélodies de leurs maîtres occitans comme de leurs émules français.

Le « printemps du Minnesang » se situe aux environs de 1170 en pays rhénan, du Limbourg à la Suisse; dix ou quinze ans plus tard il s'est étendu de la Thuringe à l'Autriche et a atteint sa maturité avec Walther von der Vogelweide.

C'est un peu plus tard, à partir de 1210, et surtout des années 1240-1250 qu'apparaît et fleurit dans la péninsule ibérique une poésie courtoise, elle aussi inspirée de l'exemple provençal et qui utilise le dialecte gallégo-portugais. C'est en galicien qu'écrit l'auteur des *Cantigas de Santa Maria*, le roi-poète Alphonse X *el Sabio*, pourtant roi de Castille de 1252 à 1284. En Italie c'est aussi au XIIIe siècle qu'en rupture avec la tradition provençalisante des troubadours lombards naît une poésie régulière en langue nationale : la voie a été ouverte par l'école dite « sicilienne », cercle réunissant des lettrés venus de diverses parties de l'Italie et gravitant à la cour de l'empereur Frédéric II (1220-1250), milieu complexe où se rencontrent grands seigneurs, juges, notaires, fauconniers.

Il faudrait de longs développements pour préciser en quoi cette école s'inspire à la fois et se distingue des troubadours : sa conception de l'amour apparaît comme beaucoup plus « païenne », sensuelle (le grand chancelier Pier delle Vigne reprend à son compte la fameuse théorie magnétique). Il faudrait ensuite montrer comment la réaction qui s'amorce avec Guido Guinizelli pour aboutir à l'éclosion du *Dolce stil nuovo* des Florentins Guido Cavalcanti et Dante, représente un retour à l'inspiration idéalisée du lyrisme courtois – sans préjudice, bien entendu, d'éléments nouveaux : l'adoption du dialecte toscan, l'intrusion de préoccupations philosophiques. Il faudrait enfin analyser l'œuvre si complexe et si riche de Dante lui-même; on a pu distinguer au moins trois philosophies dantesques de l'amour : celle de sa jeunesse, dont la *Vita Nuova* conserve l'écho délicat et charmant, toute proche encore de la *cortezia* occitane; celle, beaucoup plus philosophique du *Convivio*; celle enfin, épurée et transcendante de la *Commedia*, où Béatrice n'est plus que symbole ou médiation, et qui, résolument, ne reconnaît plus qu'un seul objet digne du véritable amour, Dieu, le Dieu-Amour de saint Jean,

l'amor che muove il sole e l'altre stelle.

Mais il suffit de rappeler ici – le lecteur chemin faisant en aura recueilli bien des preuves – que si originales que soient les positions où leur génie a conduit les grands poètes italiens, ceux-ci n'ont jamais cessé de reconnaître leur dette à l'égard des premiers poètes provençaux : la *Divine Comédie* consacre quatre épisodes aux troubadours Bertrand de Born (*Enfer* XXVIII), Sordel et Arnaud Daniel (*Purgatoire* VI-IX et XXVI), Fouquet de Marseille (*Paradis* IX). Dans son *Trionfo d'Amore*, Pétrarque en citera nommément quinze. Les Français oublieront jusqu'à l'existence des troubadours et il leur a fallu les redécouvrir : on peut dire qu'ils ne sont jamais sortis de l'horizon de la culture italienne.

Nous ne pouvons indiquer ici que les têtes de lignes; l'histoire littéraire les suit, une à une jusqu'au bout, montrant par exemple comment on passe des trouvères au *Roman de la Rose* et de celui-ci aux grands poètes, français ou anglais, de la Renaissance... Mais l'influence des troubadours ne s'est pas exercée seulement sur la littérature : elle a marqué, de façon plus durable et plus profonde encore les mœurs mêmes de notre Occident, au point de représenter une des sources principales de la mentalité commune : pour nous tous, Européens, l'amour courtois est resté un élément constitutif – une composante, un moment – de tout amour humain.

Cela a été vrai pendant de longs siècles. Est-ce vrai encore? On pourrait en douter, à lire certaine littérature contemporaine, et les philosophes qui lui servent de justification (les premiers lecteurs de *l'Être et le Néant* ont vite remarqué combien la pensée de Sartre, si elle rendait compte de l'attachement charnel, se révélait incapable de prendre en considération le phénomène spécifique qui a nom l'amour). Mais pour l'honneur, et le bonheur des jeunes générations, le vieil homme que je suis se refuse à le croire, car ôter à l'amour la résonance profonde que lui ont conférée les troubadours, serait sombrer dans une barbarie, perverse chez les uns, saine chez les meilleurs, affreuse chez tous.

L'historien, heureusement, nous rassure : l'Occident ne se résigne jamais longtemps à retourner à la barbarie. Nous avons déjà connu deux exemples d'une telle réaction salutaire contre l'affadissement et l'oubli de l'amour. Au XVIIIe siècle et à son sensualisme abject (R. Vailland a bien montré, dans *les Liaisons dangereuses*, une profanation, volontairement blasphématoire, de l'idéal courtois), a bientôt succédé la réaction romantique. A la charnière, le cas de Stendhal est particulièrement émouvant à interroger : voici un homme, déformé par les idéologues, qui se croit matérialiste, affecte le cynisme, ne parle que d' « enfiler », et soudain malgré lui, se fait jour cette immense tendresse, pudique et comme inconsciente d'elle-même (voyez *Lucien Leuwen*, les promenades au Chasseur Vert et ce baiser sur la joue, dans l'escalier...) : tout naturellement son traité *De l'amour* retrouve les Provençaux et les Arabes, l'amour 'odhrite.

Plus près de nous, on a connu une attaque, plus violente peut-être encore, avouée, structurée, contre l'amour, cette dégénérescence bourgeoise, chez les premiers Soviétiques, dont la doctrine érotique se résumait dans le fameux *h*adith souvent attribué à Lénine (le mot est en réalité d'Alexandra Kollontaï) : « Accomplir l'acte sexuel n'a pas plus d'importance que de boire un verre d'eau. » Dans ses souvenirs de jeunesse, témoignage d'une exceptionnelle valeur [1] (elle était étudiante en 1917 à Petrograd, ensuite à Odessa pendant la guerre civile, professeur enfin à Moscou), Nina Gourfinkel a tracé le tableau sinistre des ravages accomplis par cette idéologie simpliste (« le mot même d'amour apparaissait comme suspect »), la morne brutalité de ces mœurs « affranchies », et la dégradation qui en résultait, surtout pour la femme. Mais la réaction ne fut pas longue à se manifester : elle eut comme premier symptôme la publication d'une courte nouvelle de P. Romanov (lamentable histoire de tendresse saccagée, affaire vite expédiée sur une sale couchette de dortoir, dans la crasse et l'indifférence), qui connut un succès foudroyant et dont le titre : *Sans aubépine* devint, du jour au lendemain, un symbole : « *Sans aubépine!* L'aubépine [2], en Russie, est la fleur de l'amour. Elle envahit au printemps les jardins et les haies, s'épanouit en touffes parfumées le long des ruisseaux, imprègne de fraîcheur les jeunes pousses... » Ah ! et pas seulement en Russie, Nina Lazarevna :

La nostr' amor vai enaissi
Com la branca de l'albespi...

1. *Aux prises avec mon temps, I. Naissance d'un monde* (Éd. du Seuil).
2. Les botanistes, dûment consultés, m'assurent que *tcheriomoukha* correspond à un *Prunus* ou un *Cerasus*, plutôt qu'à notre *Cratoegus*; tant pis!...

POÉSIE
Oviedo
Santiago
GALLÉGO-
PORTUGAISE
Burgos
Coïmbre
Cabesta
TROUBADOU
Berga
CATALANS
Shantarîn
Barcelone
AL-ANDALÛS
Shâtiba
Kurtuba
Ishbîliya
LE RAYONNEMENT DES

Veldeke
Oisy
Morungen
MINNESÄNGER
Coucy
VÈRES
Hausen
Eschenbach
Troyes
Haguenau
Passau
Vienne
Neuchatel
TROUBADOURS ITALIENS
Venise
Montferrat
Mantoue
Gènes
DOLCE
Florence
STIL NUOVO
Capoue
ECOLE
SICILIENNE
Palerme
Messine
OUBADOURS

Index

minnesänger Dietmar le Vieux

Pour retrouver les textes cités

Biogr. = J. BOUTIÈRE & A. H. SCHUTZ, *Biographies des troubadours*, Paris 1950.
PC. = A. PILLET & H. CARSTENS, *Bibliographie der troubadours*, Halle 1933 (le premier chiffre est le n° d'ordre du poète, le second celui de la chanson, les suivants indiquent les vers).

1. MATFRE ERMENGAU, *Le Breviari d'Amor*, v. 17 260-18 869.
2. PC. 323, 11, 14-16.
3. *Biogr.* p. 256.
4. Id. p. 225.
5. Id. p. 191.
6. Id. p. 134-135.
7. Id. p. 135.
8. Id. p. 225.
9. Id. p. 215-216.
10. Id. p. 189-192.
11. Id. p. 266-267.
12. PC. 70, 26, 38-39.
13. PC. 261, 35, 1-18, 46-51.
14. PC. 80, 25, 17-24.
15. *Biogr.* p. 97-99.
16. PC. 421, 2, 1-4.
17. PC. 421, 1, 1-6.
18. PC. 421, 3, 1-6.
19. *Flamenca*, v. 467-787.
20. PC. 29, 8, 58.
21. PC. 80, 9, 17-18.
22. PC. 80, 38, 56-60.
23. PC. 80, 5, 17-23.
24. PC. 80, 8a, 1, 8-20, 41-50.
25. PC. 80, 29, 3-10, 16.
26. PC. 80, 31, 26-28.
27. PC. 80, 44, 22-23.
28. PC. 80, 33, 1-3.
29. PC. 80, 31, 1-4.
30. *Biogr.* p. 34.
31. PC. 80, 26, 1-4.
32. PC. 80, 41, 1-5.
33. *Biogr.* p. 53-54.
34. PC. 67, 1, 1-2, 19-29.
35. PC. 157, 10, 41-42.
36. *Recueil des hist. des Gaules*, XII, p. 444.
37. Id. p. 445.
38. PC. 80, 9, 25-32.
39. PC. 141, 22, 10-11.
40. *Las Leys d'Amor*, II, p. 142-147 Anglade.
41. PC. 29, 14, 1, 37-39.
42. PC. 389, 22, 19-20.
43. PC. 29, 10, 43-45.
44. PC. 29, 10, 1-4.
45. PC. 242, 42, 23-30.
46. PC. 242, 14 (287, 1 ; 389, 10a), 1-3.
47. PC. 242, 11, 19-21.
48. *Biogr.* p. 27.
49. Id. p. 9.
50. PC. 46, 2, 1-7, 19-21, 24-28.
51. PC. 293, 30, 1-7.
52. *Biogr.* p. 219.
53. PC. 323, 15, 1-2.
54. PC. 29, 18, 6-7.
55. PC. 29, 9, 45-48.
56. *Biogr.* p. 202-203.
57. PC. 242, 64, 1-5.
58. PC. 70, 43, 1-16.
59. PC. 242, 62, 1-5.
60. PC. 248, 46, 1-7.
61. PC. 461, 113, 1-12.
62. *Biogr.* p. 81.
63. PC. 183, 12, 73-76.
64. PC. 183, 7, 1, 24-37.
65. PC. 183, 1, 1-4.
66. PC. 183, 11, 35-36.
67. PC. 183, 6, 13.
68. PC. 183, 11, 25-26.
69. PC. 183, 6, 18.
70. PC. 183, 1, 19-24.
71. PC. 183, 8, 37-40.
72. PC. 183, 1, 29-30.
73. PC. 183, 6, 11-12, 27-28.
74. PC. 183, 1, 13-18.
75. PC. 356, 4, 1, 8.
76. S.M. STERN, *les Chansons mozarabes*, Palerme 1953, n° 1, 2, 14, 22, 4.
77. *Biogr.* p. 219.
78. PC. 183, 6, 1 et 7, 1.
79. PC. 461, 12, 1-5.
80. PC. 70, 43, 23-24.
81. PC. 421, 10, 29.
82. *Breviari d'Amor*, v. 29581-29582.
83. Id. v. 31254-31255.
84. PC. 225, 2, 18.
85. P.C. 225, 7, 8.
86. *De Amore*, p. 182 Trojel.
87. PC. 29, 14, 6.
88. PC. 29, 8, 29-30, 39-40.
89. *Flamenca*, v. 5939-5940.
90. Id., v. 6473-6475.
91. Id., v. 6491-6515.
92. PC. 421, 9, 1-5.
93. PC. 30, 16.
94. PC. 70, 31, 1-4.
95. PC. 225, 2, 13-30.
96. PC. 30, 22, 1-2.
97. PC. 262, 4, 11-12.
98. PC. 46, 1, 1-5.
99. PC. 16, 8, 9-10.
100. PC. 46, 2, 10-12.
101. *Breviari d'Amor*, v. 27454, 27456-27468.
102. Id. v. 27799.
103. *Flamenca*, v. 2302-2525, 5059-5073, 5330-5369.
104. PC. 53, 1.
105. PC. 461, 16, 6.
106. PC. 262, 2, 36-37.
107. PC. 167, 26 (432; 449, 1a).
108. PC. 156, 15, 1-2.
109. PC. 248, 88, 1-6.

Orientation bibliographique

L'ouvrage de base reste, pour le lecteur français

A. Jeanroy, *la Poésie lyrique des troubadours*, 2 vol., Paris, 1934, où la science la plus exacte s'unit à une curieuse incompréhension de son objet.

Le petit livre de :
E. Hoepffner, *les Troubadours*, Paris, 1955 (coll. Armand Colin, n° 295), décompose le sujet en une série de monographies consacrées chacune à un troubadour; pour une vue d'ensemble, on peut encore utiliser, quoiqu'il ait vieilli :
J. Anglade, *les Troubadours*, Paris, 1908.

Pour les manuscrits et les éditions, voir la *Bibliographie* citée de Pillet et Carstens, et (spécialement pour tout ce qui ne relève pas de la poésie lyrique, seule inventoriée par les précédents) :
Cl. Brunel, *Bibliographie des manuscrits littéraires en ancien provençal*, Paris, 1935.

On a publié plusieurs anthologies des troubadours

A. Jeanroy (1927), J. Anglade (1927), J. Audiau et R. Lavaud (1928), A. Berry (1930), G. Ribemont-Dessaignes (1946), mais aucune n'avait l'ampleur, l'intérêt et la valeur scientifique de la dernière en date :

R. Lavaud et R. Nelli, *les Troubadours*, 2 vol., (le premier contient *Flamenco*), coll. « Bibliothèque européenne » Paris, Desclée De Brouwer, 1960-1966, texte, et traduction critique.

Instruments de travail

J. Anglade, *Grammaire de l'ancien provençal*, Paris, 1921.

E. Levy, *Petit dictionnaire provençal-français*, 2e éd., Heidelberg, 1923.

Sur le problème des origines

K. Axhausen, *Die Theorien über den Ursprung der provenzalischen Lyrik*, Marburg, 1937.

R. Lapa, *Liçoes de literatura portuguesa, epoca medieval*, 2e éd., Coimbra, 1943.

P. Le Gentil, *le Virelai et le villancico : le problème des origines arabes*, Paris, 1954, (coll. Portugaise), qui traite également de la thèse liturgique.

J. Chailley, *l'École musicale de Saint-Martial de Limoges*, Paris, 1960.
R. R. Bezzola, *les Origines et la formation de la littérature courtoise en Occident*, 5 vol., Paris, 1944-1962 (Bibliothèque de l'École Pratique des Hautes Études, Hist.-Philol., fasc. 286, 313, 319, 320).

L'amour 'odhrite

L. Massignon, *la Passion d'Al-Hallâj*, Paris, 1914-1921.
J.-C. Vadet, *l'Esprit courtois en Orient*, Paris, 1968.

La poésie arabo-andalouse

H. Pérès, *La Poésie andalouse en arabe classique au XIe siècle*, Paris, 1937.

H. R. Nykl, *Hispano-arabic Poetry and its relations with the old Provençal troubadours*, Baltimore, 1946.

Thèse celtique

J. Marx, *La Légende arthurienne et le Graal*, Paris, 1952.

Thèse cathare

D. DE ROUGEMONT, *l'Amour et l'Occident*, 2e éd., Paris, 1956.

Thèse chrétienne

D. ZORZI, *Valori religiosi nella letteratura provenzale : la spiritualità trinitaria*, Milano, 1954.

Autres thèses

R. NELLI, *l'Érotique des troubadours*, Toulouse, 1963 (mais voir mes réserves dans les *Cahiers de Civilisation Médiévale*, 1965, p. 427-428).
CH. CAMPROUX, *le Joy d'amor des Troubadours*, Montpellier, 1965.
E. X. NEWMAN, *The Meaning of Courtly Love.* (Papers of the 1st annual Conference of the Center for Medieval and Early Renaissance studies, State University of New York at Binghamton, 17-18 March 1967.) Albany, State University of New York Press, 1968.

On trouvera un complément d'indications bibliographiques dans :
I. FRANK, *Trouvères et Minnesänger, (I) Recueil de textes*, Saarbrücken, 1952.

Pour la **Musique**, initiation très précise dans :

J. CHAILLEY, *Précis de musicologie*, Paris, 1958 : ch. X. « La monodie occidentale hors de la liturgie jusqu'à la fin du XIIIe siècle. »

Discographie

A la différence des livres, les disques sont rarement réédités et sortent rapidement du catalogue. Introuvable par exemple, l'admirable disque *Trouvères, troubadours et grégorien* (Studio SM 33-48), si magnifiquement interprété par Chanterelle Lanza del Vasto et Yves Tessier.

Parmi les disques actuellement disponibles en France, on peut seulement signaler la seconde face de *Cantigas et Troubadours* (HM 30566) : dix *cansos* par J.-L. Ochoa et L.-J. Rondeleux, fort bien choisies parmi les plus célèbres; la première face est consacrée à des *Cantigas* d'Alphonse X le Sage.

Pour être complet, signalons encore le disque *Trouvères et Troubadours, Minnesänger et Meistersänger* (BAM C 103), mais il ne contient que deux pièces intéressant notre sujet, la *Pastourelle* de Marcabrun et *Lanquan li jorn* de Jaufre Rudel.

Illustrations

En couverture : Gaucelme Faidit et Marie de Ventadorn.

Archives Photographiques : 64/65, 66, 96/97, 150, 164. - Bibliothèque de l'Escorial : 126. - Bibliothèque Nationale : cv., 22, 76a, b, c, d, 78a, b, 98, 112, 132. - Bibliothèque Nationale (Seuil) : 144. - Bibliothèque Vaticane : 77 a, b, c, d, 78c. Boudot-Lamotte : 57. - Boulas : 58. - British Museum : 172. - Giraudon : 43. - Hervé : 46. - Universitätsbibliothek, Heidelberg : 184.

Table

IMP. TARDY QUERCY A BOURGES (7-80).
D. L. 3e TRIM. 1971. - No 2844-4 (9785)

Collection Points

SÉRIE HISTOIRE

H1. Histoire d'une démocratie : Athènes
des origines à la conquête macédonienne, *par Claude Mossé*
H2. Histoire de la pensée européenne
1. L'éveil intellectuel de l'Europe du IXe au XIIe siècle
par Philippe Wolff
H3. Histoire des populations françaises et de leurs attitudes
devant la vie depuis le XVIIIe siècle, *par Philippe Ariès*
H4. Venise, portrait historique d'une cité
par Philippe Braunstein et Robert Delort
H5. Les Troubadours, *par Henri-Irénée Marrou*
H6. La Révolution industrielle (1780-1880), *par J.-P. Rioux*
H7. Histoire de la pensée européenne
4. Le Siècle des Lumières, *par Norman Hampson*
H8. Histoire de la pensée européenne
3. Des humanistes aux hommes de science, *par R. Mandrou*
H9. Histoire du Japon et des Japonais
1. Des origines à 1945, *par Edwin O. Reischauer*
H10. Histoire du Japon et des Japonais
2. De 1945 à 1970, *par Edwin O. Reischauer*
H11. Les Causes de la Première Guerre mondiale, *par Jacques Droz*
H12. Introduction à l'histoire de notre temps
L'Ancien Régime et la Révolution, *par René Rémond*
H13. Introduction à l'histoire de notre temps
Le XIXe siècle, *par René Rémond*
H14. Introduction à l'histoire de notre temps
Le XXe siècle, *par René Rémond*
H15. Photographie et Société, *par Gisèle Freund*
H16. La France de Vichy (1940-1944), *par Robert O. Paxton*
H17. Société et Civilisation russes au XIXe siècle, *par C. de Grunwald*
H18. La Tragédie de Cronstadt (1921), *par Paul Avrich*
H19. La Révolution industrielle du Moyen Age, *par Jean Gimpel*
H20. L'Enfant et la Vie familiale sous l'Ancien Régime, *par Ph. Ariès*
H21. De la connaissance historique, *par Henri-Irénée Marrou*
H22. Malraux, une vie dans le siècle, *par Jean Lacouture*
H23. Le Rapport Khrouchtchev et son histoire, *par Branko Lazitch*
H24. Le Mouvement paysan chinois (1840-1949), *par Jean Chesneaux*
H25. Les Misérables dans l'Occident médiéval, *par J.-L. Goglin*
H26. La Gauche en France depuis 1900, *par Jean Touchard*
H27. Histoire de l'Italie du Risorgimento à nos jours
par Sergio Romano
H28. Genèse mediévale de la France moderne, XIVe-XVe siècle
par Michel Mollat
H29. Décadence romaine ou Antiquité tardive? IIIe-VIe siècle
par Henri-Irénée Marrou

H30. Carthage ou l'Empire de la mer, *par François Decret*
H31. Essais sur l'histoire de la mort en Occident du Moyen Age à nos jours, *par Philippe Ariès*
H32. Le Gaullisme (1940-1969), *par Jean Touchard*
H33. Grenadou, paysan français, *par E. Grenadou et A. Prévost*
H34. Piété baroque et Déchristianisation en Provence au XVIIIe siècle, *par Michel Vovelle*
H35. Histoire générale de l'Empire romain
1. Le Haut-Empire, *par Paul Petit*
H36. Histoire générale de l'Empire romain
2. La crise de l'Empire, *par Paul Petit*
H37. Histoire générale de l'Empire romain
3. Le Bas-Empire, *par Paul Petit*
H38. Pour en finir avec le Moyen Age, *par Régine Pernoud*
H39. La Question nazie, *par Pierre Ayçoberry*
H40. Comment on écrit l'histoire, *par Paul Veyne*
H41. Les Sans-culottes, *par Albert Soboul*
H42. Léon Blum, *par Jean Lacouture*
H43. Les Collaborateurs, *par Pascal Ory*
H44. Le Fascisme italien (1919-1945), *par P. Milza et S. Berstein*
H45. Comprendre la révolution russe, *par Martin Malia*
H46. Histoire de la pensée européenne
6. L'ère des masses, *par Michael Biddis*

Nouvelle histoire de la France contemporaine

H101. La Chute de la monarchie (1787-1792), *par Michel Vovelle*
H102. La République jacobine (1792-1794), *par Marc Bouloiseau*
H103. La République bourgeoise de Thermidor à Brumaire (1794-1799), *par Denis Woronoff*
H104. L'Épisode napoléonien (1799-1815). Aspects intérieurs *par Louis Bergeron*
H105. L'Épisode napoléonien (1799-1815). Aspects extérieurs *par J. Lovie et A. Palluel-Guillard*
H106. La France des notables (1815-1848). L'évolution générale *par André Jardin et André-Jean Tudesq*
H107. La France des notables (1815-1848). La vie de la nation *par André Jardin et André-Jean Tudesq*
H108. 1848 ou l'Apprentissage de la République (1848-1852) *par Maurice Agulhon*
H109. De la fête impériale au mur des fédérés (1852-1871) *par Alain Plessis*
H110. Les Débuts de la troisième République (1871-1898) *par Jean-Marie Mayeur*
H111. La République radicale? (1898-1914), *par M. Rebérioux*
H112. La Fin d'un monde (1914-1929), *par Philippe Bernard*
H113. Le Déclin de la troisième République (1929-1938) *par Henri Dubief*
H114. De Munich à la Libération (1938-1944), *par J.-P. Azéma*